adicciones

adicciones

Cómo prevenirlas en niños y jóvenes

María Josefa Cañal

Bogotá, Barcelona, Buenos Aires, Caracas, Guatemala, Lima, México, Panamá, Quito, San José, San Juan, Santiago de Chile, Santo Domingo

Cañal, María Josefa
Adicciones : Cómo prevenirlas en niños y jóvenes / María Josefa Cañal. — Bogotá : Grupo Editorial Norma, 2003.
312 p. ; 21 cm.
ISBN 958-04-7266-1
1. Drogas y juventud 2. Adicciones (psicología) 3. Drogadicción - Prevención 4. Padres e hijos I. Tít.
362.29 cd 19 ed.
AHP3473

CEP-Banco de la República-Biblioteca Luis-Angel Arango

Apartado Aéreo 53550, Bogotá, Colombia
http://www.norma.com

Impreso por Imprelibros
Impreso en Colombia — Printed in Colombia

Edición, Verónica Cárdenas y Dora Pinzón
Diseño de cubierta, María Clara Salazar
Fotografía de cubierta, Filiberto Pinzón
Armada electrónica, Andrea Rincón

Este libro se compuso en caracteres Horley

ISBN 958-04-7266-1

Contenido

Prólogo

El hombre nace libre, pero por todas partes está encadenado.

JUAN JACOBO ROUSSEAU, ESCRITOR SUIZO

Cerca de 200 millones de personas en el mundo son adictas a las drogas. En Estados Unidos, el número de jóvenes de segundo año de secundaria que ha usado sustancias ilícitas casi se ha duplicado desde 1991, y una tercera parte de los muchachos de 18 años confesó haber probado la cocaína, la heroína o el LSD, según apunta un estudio de la Universidad de Míchigan. El general Barry McCaffrey —director de la Oficina Nacional de la Política de Control de Drogas— ha calificado esta situación como un "desastre".

Aunque no alcanzamos los niveles de Estados Unidos, en Latinoamérica las noticias también son preocupantes. En los últimos años, el uso de ciertas drogas como la marihuana y la cocaína ha registrado un repunte entre los adolescentes y los jóvenes, la edad de inicio en el consumo de alcohol y otras drogas bajó y las chicas han pasado a engrosar las filas de los farmacodependientes. Las investigaciones revelan que quienes abusan de las drogas dejaron de ser monousuarios y consumen no una sino varias sustancias de menor calidad y costo, pero con mayor potencial adictivo, como el éxtasis y el *crack* (de hecho, algunos médicos afirman que los actuales usuarios de éxtasis corren el peligro de convertirse en una generación afectada por la demencia o mal de Parkinson dentro de 30 años). La "inofensiva" marihuana, gracias a los nuevos métodos de cultivo y procesamiento, resulta 20 veces más potente hoy que dos o tres décadas atrás.

Lo anterior representa sólo un botón de muestra sobre las adicciones juveniles en el continente. De manera sorprendente, paralelo al embate del narcotráfico —que ha rebasado a las autoridades, logrando que las drogas sean cada vez más accesibles no sólo en las calles, sino también en las escuelas, discotecas y centros juveniles de reunión— no existe un esfuerzo de la comunidad por preparar a niños y jóvenes frente al fenómeno. Es más, durante muchos años, los padres, las escuelas y los medios de comunicación bajaron la guardia porque creyeron que la epidemia de fines de los setenta había terminado y las drogas no constituían una amenaza importante. Como consecuencia, aunque se perciben a sí mismos como grandes conocedores, los muchachos saben menos de los riesgos del uso de sustancias ilícitas que hace diez años.

Todos los días podemos constatar que la dependencia a las drogas no respeta edad, sexo o condición social. Los niños de la calle padecen esta enfermedad de las emociones, pero también puede afectar a jóvenes de éxito como Sasha Sokol, solista y actriz, ex integrante del grupo musical *Timbiriche*, quien impactó a la opinión pública hace unos años al hablar abierta y valientemente de su farmacodependencia, de la cual hoy se encuentra rehabilitada. Los "niños bien" tampoco se salvan; por ejemplo, Enrique de Inglaterra, hijo menor del príncipe Carlos y la princesa Diana, ocupó los titulares de los periódicos al descubrirse que abusó del alcohol y fumó marihuana a los 16 años de edad.

¿Existe una salida? ¿Es suficiente proporcionarles información, castigarlos o llevarlos a un centro de rehabilitación a que atestigüen de cerca el sufrimiento de los adictos (como hizo el príncipe Carlos con su hijo) para mantener a los muchachos apartados de las drogas? ¿Por qué no han servido las antiguas tácticas de infundir miedo y amenazar como estrategia de prevención contra la farmacodependencia y en la actualidad existen cada vez más jóvenes que dependen de las drogas?

No resulta sencillo encontrar respuestas ante un fenómeno tan complejo, reflejo fiel de la época que vivimos. Todo está vinculado: la violencia, la desintegración familiar, el materialismo, el desempleo y la falta de esperanza en el mañana, la influencia de los medios de comunicación, la moda, el estrés, las dificultades económicas, el egoísmo y la intolerancia, característicos de la sociedad urbana en los albores del siglo XXI, nos impulsan a buscar un escape, un paraíso ficticio a través del consumo, el sexo, la comida o, incluso, las drogas.

Pues sí, el mundo donde habrán de crecer y desarrollarse nuestros niños no es lo acogedor que quisiéramos. No obstante, salvo escapar lejos y encerrarse junto con la familia en un castillo de la pureza —lo cual no sería muy recomendable, en vista de que nunca podríamos huir de nosotros mismos— no queda otro remedio sino despertar, informarnos y poner manos a la obra.

"Pero donde está el peligro/Allí nace lo que salva". Estos versos del poeta alemán Friedrich Hölderlin, inspirados en la fe y la confianza de que todo peligro lleva en sí mismo un potencial de salvación, ilustran la esperanza presente a lo largo de este libro, la certeza de que en Latinoamérica estamos muy a tiempo de evitar el desastre al que alude McCaffrey. Va dirigido a quienes no desean claudicar, aun cuando han visto asomar las orejas al lobo. A todos ustedes los invito a construir el entorno sano, benévolo, con niños y jóvenes fuertes, libres, dueños de sí mismos, en quienes no tenga cabida ni el miedo, ni la desolación, ni los deseos de escapar que sienten muchos muchachos en nuestros días. Invito al lector a emprender juntos este camino comenzando por la propia casa o la escuela, ahí donde tenemos injerencia y podemos actuar. La aventura no es poca cosa, pero, como la vida misma, representa un desafío que hemos de enfrentar todos los días.

1 Adicción, o la pérdida de la libertad

Dentro de nosotros hay algo que no tiene nombre, esa cosa es lo que somos.
JOSÉ SARAMAGO, escritor lusitano
(Ensayo sobre la ceguera)

En su película *¿Qué he hecho yo para merecer esto?*, el director de cine español Pedro Almodóvar retrata a una familia madrileña, en la cual todos los miembros son adictos a una u otra sustancia (al agua mineral, incluso). En efecto, vivimos una época donde gran cantidad de personas trata de encontrar alguna puerta de escape artificial hacia lo maravilloso, con el fin de evadir una realidad que muchas veces le resulta dolorosa y difícil de enfrentar. Desde luego, el fenómeno de la adicción se extiende a actividades como el juego, el sexo, el trabajo, el internet, la comida y muchas más, y todos podemos tener, en alguna medida, dependencia a algo; sin embargo, dicha conducta sólo se convierte en una patología cuando constituye el objetivo central y único de nuestra vida.

La adicción[1] consiste en "un grupo de fenómenos fisiológicos, conductuales y cognitivos de variable intensidad, en el que el uso de sustancias psicoactivas tiene una alta prioridad". Se trata de una conducta obsesiva y compulsiva (necesidad incontrolada de repetir cierta acción de manera ritual y estereotipada) que lleva a consumir periódicamente alcohol o alguna otra droga para experimentar un estado afectivo positivo (placer, bienestar, euforia, sociabilidad, escape de la realidad, búsqueda o abandono de la identidad, exploración de nuevas sensaciones) o librarse de un estado negativo (dolor, aburrimiento, timidez, estrés). Médicos y psicólogos concuerdan en que la adicción es una enfermedad de las emociones, pues "aunque no sirve para transformar las circunstancias que le hacen fracasar a uno, sí es altamente eficaz para anular la ansiedad que conlleva el creerse incapaz de controlar las riendas de la propia existencia".[2]

Diversos estudios clínicos y encuestas demográficas confirman lo anterior, al proporcionar evidencia de que las adicciones se asocian frecuentemente con trastornos mentales, en especial ansiedad, depresión y algunas alteraciones de la personalidad. Así, en 1998, en un estudio realizado en México, nueve de cada 100 personas que abusaban del alcohol y 18 de cada 100 alcohólicos padecían también un desorden afectivo. Las cifras determinantes de trastornos de ansiedad fueron de 15% y 35%, respectivamente.[3]

En México la adicción se entiende como una enfermedad progresiva, incurable y mortal, si no se trata. En Europa y algunas partes de Estados Unidos se maneja como una conducta aprendida que se puede desaprender. El tratamiento es distinto en ambos casos. Hasta la fecha, los conocimientos científicos no permiten predecir quién se volverá adicto a las drogas y quién no. De ahí que confrontar el problema y buscar soluciones resulte una tarea de gran complejidad. Si sólo se tratara de una realidad de causa y efecto, en vez de consistir en una enfermedad de múltiples factores, podría predecirse y evitarse.

Algunos términos importantes

Para hablar de adicción, es necesario especificar ciertos términos que se utilizan a partir de convenciones internacionales: [4]

- *Uso* o *consumo* de sustancias ilícitas. Se emplea para referirse a un consumo esporádico o experimental de las mismas.
- *Abuso, uso dañino, uso inadecuado* o *uso ilícito de sustancias.* Incluye: "Un patrón de uso de **sustancias psicoactivas**[5] que causa daño a la salud (...) física o mental" del consumidor. Se aplica a un uso frecuente que interfiere con otros aspectos de la vida o se presenta de manera ocasional en períodos de consumo intenso. Esta expresión es amplia, pues no distingue entre los usuarios que consumen drogas de manera ocasional, habitual o presentan dependencia hacia ellas.
- *Abstinencia.* El consumo prolongado de drogas (e incluso de todas las sustancias capaces de crear hábito, como la **cafeína**, el tabaco y el chocolate) se convierte en algo tan necesario a nivel físico y psicológico que cuando la persona suspende su uso sufre malestares de todo tipo. Aparece, entonces, el llamado síndrome de abstinencia

o supresión. En el caso del alcohol, por ejemplo, un bebedor frecuente puede sufrir convulsiones y hasta morir si se le priva bruscamente de esta sustancia.
- *Sustancias psicoactivas (psicotrópicos, sustancias ilícitas, sustancias adictivas, drogas)*. Son aquellas que "en el interior de un organismo viviente, pueden modificar su percepción, estado de ánimo, cognición, conducta o funciones motrices". En general, se utiliza el término droga ilegal o ilícita al hablar de las sustancias que se hallan bajo un control internacional y, aunque tengan o no un uso médico legítimo, se producen, trafican y consumen fuera del ámbito legal.
- *Tolerancia*. Disminución de los efectos específicos a la misma dosis de la droga con la consiguiente necesidad de aumentar la cantidad y la frecuencia. Se define también como un decremento de la sensibilidad del sistema nervioso central a la sustancia. Por ejemplo, si un bebedor de alcohol toma tres copas durante cierto tiempo, llegará un momento en que necesite una cuarta copa para sentir los mismos efectos; más adelante, requerirá seis, y así sucesivamente.

Síntomas de la adicción

Según el *Manual de diagnóstico y estadístico de los trastornos mentales*, para determinar que una persona ha desarrollado una dependencia a las sustancias adictivas, debe manifestar tres o más de los siguientes síntomas.[6]

a) Necesidad de usar una cantidad mayor de la sustancia

para alcanzar los efectos deseados, con el consiguiente aumento de la tolerancia. Como es lógico, nadie comienza a consumir sustancias con la idea de convertirse en dependiente; de ahí que el adicto sobreestime su capacidad de controlarse a sí mismo y subestime la intensidad de la dependencia. Esta última puede crecer con rapidez, sobre todo en casos de drogas con gran poder adictivo como el ***crack***. El poeta inglés Samuel Taylor Coleridge consumía 2,30 litros de láudano por semana y Thomas de Quincey, autor de *Confesiones de un comedor de opio*, desarrolló tal tolerancia a este narcótico que era capaz de ingerir hasta 8 000 gotas al día.[7]

b) Aparición de síntomas de abstinencia al disminuir la concentración de la sustancia en el sistema nervioso central del consumidor. Para eliminar o aliviar estas sensaciones desagradables, el sujeto toma la sustancia a lo largo del día, a veces desde que despierta. La abstinencia puede aparecer a cualquier edad, en función del tiempo de ingesta de dosis altas de la **droga** a lo largo de cierto tiempo. La tolerancia y la abstinencia (a y b) son insuficientes para determinar dependencia porque algunos sujetos adictos a la *cannabis* (marihuana) presentan un patrón de uso compulsivo (como los síntomas que se describen en los numerales c a g) sin signos de tolerancia o abstinencia.

c) Consumo de la sustancia en cantidades mayores o durante un tiempo más prolongado de lo que el sujeto pretendía.

d) Deseos o intentos de la persona de regular o abandonar el consumo de la sustancia. En los centros de tratamiento esta situación es bien conocida, ya que los pacientes que han sido dados de alta sufren con frecuencia una o varias recaídas.

e) Dedicar gran cantidad de tiempo a obtener la sustancia, consumirla y reponerse de sus efectos. La adicción determina la vida del adicto, que gira en torno a ella. Las sensaciones provocadas por la droga pueden ser tan necesarias para el cuerpo y la mente, que la abstinencia se vuelve intolerable y lleva a algunos usuarios a realizar actos extremos, como el robo y la prostitución, con el propósito de conseguirla.

f) Dejar a un lado las actividades laborales, recreativas o familiares para dedicarse a aquellas actividades que giran en torno al consumo de la sustancia. La apatía, el hecho de no interesarse por nada o nadie más, resulta uno de los aspectos más peligrosos y desgastantes de la adicción.

g) Continuar consumiendo la sustancia a pesar de que la persona conoce los problemas psicológicos o fisiológicos que le acarrea este consumo (por ejemplo, graves síntomas de depresión o lesiones en algunos órganos como el hígado, el corazón y el cerebro).

Para entender la adicción

Las sustancias psicoactivas que entran al cuerpo por diversas rutas, siguen su camino a través del torrente sanguíneo y llegan directamente al cerebro, donde ejercen sus efectos. La mayoría de ellas actúa inicialmente en el sistema de respuesta cerebral, que nos recompensa cuando realizamos las actividades necesarias para sobrevivir —comer, beber, hacer el amor, etcétera—. Las células de esta parte del cerebro liberan químicos (entre ellos la dopamina y la serotonina) que nos hacen sentir bien cuando ejercemos estos comportamientos.

La doctora Verónica Eroza[8] explica que las drogas imitan a los químicos naturales del cerebro, pero en lugar de "enseñarnos" a repetir comportamientos de supervivencia, nos "enseñan" a tomar más drogas. Investigaciones científicas recientes revelan evidencia abrumadora sobre el hecho de que las drogas no sólo interfieren con el funcionamiento normal del cerebro al crear fuertes sensaciones de placer, sino que también tienen efectos a largo plazo en el metabolismo y la actividad cerebral. Esto explica en parte por qué los adictos a las drogas sufren de una necesidad compulsiva de consumir estas sustancias y no pueden abandonarlas sin ayuda externa.

Lo anterior se debe a un proceso de adicción física, pero aunque la medicina otorga una gran importancia a este aspecto, los especialistas en adicciones consideran que la característica más determinante para volverse adicto es la llamada dependencia psicológica, muy relacionada con la asociación entre el efecto que produce la droga y la necesidad psicológica de la persona de hacer o deshacer con su personalidad (de obtener aquello que desea sentir con la sustancia). Así, por ejemplo, un joven busca los efectos de estimulantes como la cocaína o el **éxtasis** —que agudizan los sentidos— para sentirse incansable, fuerte y resistente. Igual ocurre con el alcohol, gracias al cual la persona habla, canta, baila, etcétera, porque representa la forma que conoce de gozar o desinhibirse. Es decir, la droga produce en la persona los cambios que tanto desea experimentar a nivel inconsciente.

Después del consumo viene la resaca y el enfrentamiento con la realidad, donde el farmacodependiente se culpa porque se había prometido a sí mismo no volver a consumir droga. La culpa produce más dolor y el círculo vicioso vuelve a comenzar. Con el paso del tiempo, y dependiendo de la cantidad consumida y la propia capacidad metabólica de su organismo, el sujeto crea mayor tolerancia a la sustancia y necesita aumentar la dosis o la frecuencia del consumo. La ecuación que ilustra este comportamiento compulsivo es como sigue:

> Cuando decide rehabilitarse y se somete a terapia, el adicto necesita identificar dónde radica su problema, por qué sólo las drogas lo satisfacen, por qué siente ese vacío interior que lo impulsa a beber o a drogarse. Para superar la dependencia psicológica, precisa realizar cambios en su vida, tanto de conducta como emocionales, tales como: aprender a gozar, superar el aburrimiento, afrontar la ansiedad, tolerar la frustración o establecer relaciones sociales de mayor calidad, entre otros.

La personalidad adictiva

"No creo que exista una personalidad adictiva. Más bien hablaría de factores que pueden ocasionar que un sujeto consuma drogas o no: poca asertividad, escasa tolerancia a la frustración, incapacidad para desarrollar ciertas habilidades, baja autoestima, falta de un proyecto de vida, pocas o muchas posibilidades económicas, sobreprotección o falta de protección. Estas características dependen no sólo de la persona, sino también de influencias externas. Una familia puede funcionar como detonador de la adicción de un joven o, por el contrario, constituir su máximo protector. Hemos encontrado familias disfuncionales que actuaron como un recurso protector porque, al menos, el muchacho había contado con este referente en su vida", afirma el doctor Jesús García.[9]

Difícilmente puede describirse una personalidad prototipo del farmacodependiente. Para encontrar las causas del consumo, hay que conocer los factores biopsicosociales que afectan a una persona. Es decir, que sus características individuales, genéticas y psicológicas pueden determinar su mayor o menor sensibilidad a las drogas. Los factores sociales también contribuyen a que un sujeto sea más vulnerable que otro a desarrollar dependencia a las sustancias. Aunque estos factores interactúan, suele predominar uno de ellos. Los expertos coinciden en que algunos adictos llevan una carga genética que los predispone al alcoholismo; sin embargo, en la mayoría de los casos predominan los factores sociales.

Más que hablar de personalidad, David Sedlak hace referencia a un pensamiento adictivo que define como "la incapacidad de la persona de tomar decisiones sanas por sí misma". Señala que "no es una deficiencia moral de la fuerza de voluntad de la persona, sino más bien una *enfermedad de la voluntad* y la incapacidad de usarla". La peculiaridad del pensamiento adictivo "es la imposibilidad de *razonar con uno mismo*. Esto se puede aplicar a diversos problemas emocionales y conductuales, pero invariablemente se encuentra en la adicción".[10]

Existen tres factores fundamentales que, según Sedlak, las personas deben considerar si desean aprender a razonar consigo mismas:

- *Tener un manejo adecuado de la realidad.* En una familia con un padre alcohólico o abusador y una madre sumisa, por ejemplo, un pequeño crece pensando que su percepción es defectuosa porque sería muy doloroso para él reconocer los errores de sus padres. A partir de esa visión distorsionada, resulta lógico que recurra al alcohol como una forma adecuada de enfrentar la realidad. ¿Por qué no? Si su padre lo hace, y él no puede estar equivocado.
- *Contar con ciertos valores y principios fundamentales* para llevar a cabo las elecciones necesarias en la vida. La familia y la cultura constituyen los principales formadores de valores y principios. Si en el núcleo familiar se considera que la capacidad de beber grandes cantidades de alcohol es un reflejo de la masculinidad, para los chicos que se desenvuelvan dentro de esa cultura, el consumo estará perfectamente justificado.
- *Desarrollar un autoconcepto sano, sin distorsiones.* Cuando los padres exigen de sus hijos más de lo que pueden dar o, por el contrario, les resuelven todo sin permitirles desarrollar sus propias destrezas, propician la sensación de incapacidad de los pequeños en detrimento de su amor propio. La depresión, la ansiedad, el miedo al rechazo y muchas conductas adictivas son producto de haber crecido con una autoimagen devaluada.

El adicto, una víctima de sí mismo

En su libro *Ética para Amador,* Fernando Savater considera que la libertad implica decidir, pero también darnos cuenta de qué estamos decidiendo; lo más opuesto a dejarse llevar. Los adictos no son capaces "de tomar la decisión de dejar de hacer algo cuando empieza a perjudicarles o cuando cesa de ser placentero".[11] En este sentido, la adicción significa una pérdida de la libertad, pues lo único que se consigue es alienarse, perder toda posibilidad de libre albedrío, con lo cual la suerte de la persona queda en manos de la sustancia o de quienes trafican con ella.

El siguiente testimonio de Antonio (25 años de edad), que él mismo calificó como "maratón de la muerte", muestra cómo, aunque sentía gran culpabilidad y percibía que se estaba haciendo daño a causa de su avanzada adicción, no era capaz de cumplir con sus constantes promesas de cambiar. Admite que mentía porque, en el fondo, no le interesaba parar el consumo, ni encontraba un objetivo a su vida. Los síntomas de adicción de Antonio son claros: consumo inmoderado, desarrollo del síndrome de abstinencia, abandono de otras actividades para dedicarse a aquellas relacionadas con el abuso de sustancias e intentos reiterados e infructuosos de dejar de consumir. Hoy, rehabilitado y contento en su trabajo, Antonio asegura que no cambiaría un día de sobriedad por todas las fiestas del mundo.

> A los 12 años me fugué de la casa por primera vez. Desde los 13, siempre que podía me tomaba una copa. Aprendí a resistir para beber otra copa más. En mi casa nunca nos prohibieron el contacto con el alcohol. A los 14, consumía marihuana y, dos años después, cocaína, pastillas de todo tipo y LSD. Por cualquier pretexto bebía, pero no me importaba lo que dijeran los demás. Buscaba una salida a lo que sentía; nunca fui un niño feliz.

Cuando tenía 15 años me acerqué a mis padres y les dije que bebía y fumaba marihuana. Sentía una culpabilidad terrible. Comenzaron a apoyarme; fui a terapia psicológica durante mucho tiempo, pero no me interesaba cambiar. No encontraba un objetivo para vivir. Lo que me importaba era estar con mis amigos, beber y consumir droga. Me quería sentir importante y más grande.

Emprendí mi primera fuga de la ciudad a los 18 años. Me fui a trabajar medio tiempo, a tratar de estafar a la gente. Creía que huyendo podría cambiar. No fue así. Fracasé. No sabía cómo trabajar. Regresé y, como siempre, prometí a mis padres que iba a hacer el esfuerzo de cambiar. Seguí buscando gente con problemas para no sentirme tan mal.

Terminé el colegio y de nuevo escapé a otro lugar. Siempre me cautivó la aventura. Estuve a punto de suicidarme varias veces, por sentirme fracasado. Tuve muchos problemas porque llegué a perder el control, a agredir a la gente, y al día siguiente no recordaba lo sucedido. Entré a la universidad y pretendía cambiar. Duré dos semestres en ingeniería química. Durante un año oculté a mis padres que ya no iba a la universidad. Dejé de hablar con mis abuelos, tíos y primos, porque protagonizaba escenas bochornosas en las fiestas y se cansaron de mis locuras. Al igual que todos los amigos con quienes me llevaba, consumía droga todos los días. Sufrí varios accidentes por consumir. Obtenía satisfacción inmediata y, para no sentirme frustrado, me seguía drogando. Pedía una nueva oportunidad y mis padres volvían a tenderme la mano.

Empecé a estudiar informática administrativa y conseguí un trabajo, que abandoné después de una resaca tremenda. Me dediqué a la piratería con el fin de conseguir dinero para la droga. Para entonces, compraba cuartos de kilo de marihuana y me duraban 15 días.

Cuando no consumía coca, padecía ataques de *delirium tremens*. Me levantaba a trabajar porque necesitaba dinero para consumir. No pasaba un solo día en que estuviera sobrio. Mi consumo de droga era constante y no me podía controlar; llegué a ser violento, aunque no recuerdo muchas cosas. Estaba muy orgulloso de que vivía un "maratón de la muerte". A causa de mis constantes accidentes, mis padres tenían que recogerme en la delegación, donde estaba detenido, o en el hospital. Participé en grupos de apoyo contra la drogadicción, pero no me funcionó porque no estaba convencido de que quería abandonar las drogas. Mi necesidad de obtener dinero era enorme; necesitaba pagar los cerca de cinco gramos de cocaína que consumía diariamente (la de buena calidad es muy cara). Estaba consumido; pesaba 15 kilos menos que ahora.[12]

La adicción en los jóvenes

¿Por qué ha aumentado en el mundo la adicción al alcohol y a todo tipo de sustancias, en tanto ha disminuido la edad de inicio en el consumo? ¿Acaso los jóvenes de esta generación son más influenciables que sus predecesores? Al contrario, la inteligencia de los muchachos de hoy es mucho mayor que la que tenían hace dos o tres décadas los jóvenes de la misma edad, debido a los múltiples estímulos a que se ven expuestos en un momento en que su cerebro presenta gran plasticidad, apunta Rogelio Villarreal.[13] "No obstante, tal cantidad de información no les sirve para convertirse en actores sociales, y sufren por ello. Están más enajenados; han aprendido a escapar de sí mismos, a enchufarse a la televisión o a una computadora. Sus padres los presionan: 'Haz la tarea', 'ponte tal cosa', 'cállate', 'deja de dar lata', 'no hables así', 'no me contestes', etcétera, pero nunca les preguntan cómo se sienten o por qué actúan de tal o cual manera. En consecuencia, los chicos no se conocen y son todo menos ellos mismos". Esta situación les genera mucho dolor.

El adicto, ese demonio

En el transcurso de la última década se han registrado avances en el conocimiento de la farmacodependencia. Los gobiernos de los países desarrollados han invertido e invierten gran cantidad de recursos económicos y humanos para comprender un fenómeno que, de manera creciente y preocupante, azota a sus ciudadanos, quienes comienzan a beber alcohol y usar drogas ilegales cada vez a menor edad.

Paralelamente, la elaboración de las sustancias ilegales se ha sofisticado, al igual que la oferta de las mismas. Las mezclas disponibles en el mercado son diversas y elaboradas, por lo cual sus efectos resultan impredecibles, sobre todo si se ingieren con abundantes dosis de alcohol —como sucede en las llamadas **fiestas *rave***—. Los daños que producen en el organismo van desde distintos grados de deterioro físico y mental, hasta la muerte. Al mismo tiempo, los expertos en adicciones, académicos e investigadores, no han sabido informar al grueso de la población sobre su materia. En una conversación sostenida con la doctora María Elena Medina-Mora,[14] ella alude a esta asignatura pendiente de la academia con la sociedad.

Por su parte, muchos "comunicadores" han estigmatizado al adicto, a quien —a pesar de estar al tanto de que se trata de una enfermedad, no de un vicio— consideran como el perverso, el malo de la historia. Si se consultan materiales escritos en la década de los 70, pero que todavía circulan para que los jóvenes los lean, se encuentran concepciones del adicto como la siguiente:

> Nada hay más infernal, ni macabro, ni terrorífico, que el mundo de las drogas. Es algo realmente satánico y mucho más aun, porque como dice la Biblia, en este mal el mismo demonio se disfraza y se viste como ángel de luz, engañando a millares y arruinando su vida. Sí amigos, así es, porque a pesar de ser tan infernal la drogadicción, sin embargo, luce tan atractiva ante tantos incautos que por esa razón caen en sus redes.(...)
>
> Lo más terrible de este mal es la distorsión de la realidad; la fuga hacia un mundo ficticio por un atajo de cobardía y poca hombría; la anulación de la verdadera valentía; la negación de la propia personalidad; el ocultamiento de los valores de la vida y la destrucción lenta y paulatina (aunque a veces violenta) del cuerpo y del organismo.
>
> El drogadicto se va convirtiendo en una isla, rompe el equilibrio social al atentar contra la sociedad mediante el robo, el crimen, el escándalo, al huir de la responsabilidad como miembro de la sociedad, al con-

> vertirse en una carga y en un parásito, al escapar de sus deberes como individuo, al desconocer todo principio de autoridad, al rebelarse contra sus propios padres, contra sus propios hermanos, aun contra sus propios hijos, contra sus maestros, contra los rectores de la vida colectiva, contra todo lo que no sea *su* droga.
>
> Aun cuando el adicto busca la compañía de otros desgraciados como él, y a veces forma parte de una aglomeración de individuos, *nunca es parte de una sociedad ni nueva ni revolucionaria ni llena de paz ni de amor* como él se imagina. Más bien constituyen él y los que lo acompañan la antisociedad; un amontonamiento de individuos que se han juntado para podrirse juntos; en donde no hay deberes, ni derechos, ni principios, ni valores, ni lucha, ni esfuerzo, ni sacrificio, ni ninguno de los factores que hacen del hombre un ser humano digno. Sólo existe un valor, uno solo: la droga.
>
> El drogadicto pues, se ha deshumanizado, ha experimentado una regresión hacia la bestialidad, hacia el plano animal, instintivo, primitivo, y en ese plano se revuelca angustiosamente tratando de existir para su vicio; solamente existir, no vivir, porque esto ya es algo más sublime.[15]

De cara al siglo XXI, habría que revisar algunos conceptos de este texto, que tan dramáticamente describe al adicto. No sé bien si el demonio existe, pero sé que detrás de cada víctima de las drogas se halla un ser humano sumamente dolorido y emocionalmente destruido, no una bestia. Detrás de esa personalidad negativa, marcada por la cobardía, deslealtad, egoísmo, agresividad, **paranoia,** soberbia..., siempre podremos hallar a ese hijo, a esa pareja, a ese amigo sensible, inteligente, carismático, cariñoso, creativo que tanto amamos. Porque es el amor y la comprensión lo que podrá sacar adelante a esa persona, que no se "revuelca", sino que ha perdido la libertad y se debate entre ser y no ser. El adicto no es un "vicioso", carente de valores, sino un enfermo que vive con gran dolor, culpa, desasosiego y temor.

Por desgracia, al hablar del mundo de las drogas con tanta vehemencia y descalificación, se corre el riesgo de que la gente entre en pánico, pensando que solucionar un problema tan grave escapa a sus manos. Como consecuencia de ese miedo, los padres, maestros o adultos al cuidado de niños y adolescentes se paralizan y no toman cartas en el asunto para iniciar un cambio en el pequeño círculo donde sus actos tienen gran trascendencia: la familia. Para los jóvenes, este discurso puede sonar retrógrado, aburrido y decadente. Digamos que por un oído les entra y por otro les sale, porque a esta edad rechazan todo lo que huela a regaño o sermón. Mientras tanto, la situación va de mal en peor, debido al avance de la farmacodependencia en el mundo entero.

En opinión de García, la sociedad tiende a demonizar al adicto. "Existe la tendencia a considerar el abuso de drogas y la adicción desde el punto de vista social únicamente. Muchos padres, maestros y adultos en general califican a quienes usan drogas de moralmente débiles o con tendencias criminales. Creen que los consumidores abusivos de drogas deberían ser capaces de parar su adicción en el momento en que así lo desearan. Estos mitos han estereotipado no sólo a las personas relacionadas con problemas de drogas, sino también a sus familiares".

Tachar al adicto de animal, perverso, satánico, guiñapo y demás puede hacernos sentir superiores a él. Sin embargo, si hacemos una revisión honesta, ¿quién nos asegura que alguno de nuestros seres queridos, amigos, conocidos o bien nosotros mismos, en circunstancias adversas, no podríamos caer en una conducta adictiva? ¿Acaso, ahora mismo y sin darnos cuenta, no dependemos del juego, el sexo, el trabajo, los videojuegos, el internet, la comida o —un apego más común y complicado— de otra persona?

2 Las edades que viven en peligro

Los jóvenes son el espejo de nuestra sociedad.

CARLES FEIXA, juvenólogo francés

Es como volver a la adolescencia, esa edad infausta en la que todo lo que hacemos públicamente —caminar, hablar, mirar— puede ser objeto de la risa del otro. La adolescencia y los celos nos separan de la vida, nos impiden vivirla.

CARLOS FUENTES, escritor mexicano *(En esto creo)*

Infancia

Los padres son los principales protagonistas en la vida infantil. Desde que nacen, los niños y las niñas (a partir de este momento se empleará el genérico para referirse a ambos sexos) reciben de ellos las experiencias emocionales más significativas y de mayor trascendencia para su vida futura, pues —tal como han demostrado diversos estudios— la necesidad de afecto llega a ser tan vital para el ser humano como el alimento.

Entre los cinco y los nueve años, los niños aprenden de la experiencia, por eso todo lo que ven se torna en algo real para ellos. Sus padres representan un punto de referencia básico para regular su conducta, y esperan de ellos sinceridad y congruencia. Los niños de esta edad no soportan que sus padres les mientan porque, de esta manera, destruyen las bases de una seguridad que necesitan para crecer sanos física y emocionalmente. Como consecuencia de la importancia que los pequeños otorgan a su percepción, lo más significativo en este momento de su vida es lo que sus padres hacen, no lo que dicen.

La infancia representa un buen momento para involucrar a los niños en las actividades de la familia con el propósito de enseñarles a tomar decisiones por sí mismos antes que a regirse por la opinión de los demás y a que aprendan a decir no. Es oportuno hacerles ver que los adultos no siempre actúan en la forma correcta cuando les piden hacer algo y que en caso de duda deben recurrir a alguien en quien confíen; esto puede salvar a los pequeños de grandes peligros futuros.

Los niños en edad escolar están ansiosos de ser independientes y crecer. Como hasta ahora habían permanecido en el seno familiar, la escuela abre a los infantes un nuevo mundo que explorar, magnificado por el hecho de adquirir las herramientas de la lecto-escritura, y se convierten en aprendices integrales. En esta etapa adquiere significación que los padres se tomen el tiempo necesario para enseñarles a interpretar los mensajes que reciben a través de los medios masivos acerca de numerosos temas inexplorados por su mente infantil. En ocasiones, el tratamiento que dan estos medios masivos a asuntos como los relacionados con el alcohol, el tabaco y otras drogas puede entrar en conflicto con la información paterna. De ahí la necesidad de conversar con los pequeños sobre lo que están viendo y ubicarlos en la realidad.

Además de utilizar un lenguaje sencillo y adecuado para su edad, al hablar con ellos acerca del uso de sustancias ilícitas es preciso recordar que los niños no vislumbran las consecuencias de sus actos; únicamente el aquí y el ahora cuenta para ellos. La costumbre de charlar en familia de manera franca y abierta sobre diversos asuntos desde que son pequeños —sexualidad y drogas incluidos—, propiciará que los niños crezcan seguros de sí mismos, con convicciones fuertes. Porque, tal como ocurre con las reglas sobre los horarios para dormir o hacer la tarea, ellos empezarán a entender los puntos de vista paternos en torno a estos temas.

Para los pequeños, los adultos son todopoderosos. Quizá en ningún otro momento de la vida de los hijos las enseñanzas paternas serán tan bien recibidas. Aproveche esa devoción incondicional para que empiecen a formarse un criterio frente al consumo de drogas lícitas e ilícitas.

Niños y adicción

La infancia constituye el mejor momento para aprender. No se trata de sentar a un niño de tres años y explicarle qué son las drogas, pero sí de inculcarle una serie de pautas de disciplina y autocontrol que le servirán para tomar decisiones de manera libre e inteligente en el futuro. En la etapa preescolar, los pequeños aprenden las bases para adquirir hábitos sanos, desde comer alimentos nutritivos, hasta ser limpios o vestirse adecuadamente de acuerdo con el clima.

Los niños de esta edad no suelen ser adictos. Sin embargo, aunque el uso de drogas no constituya una preocupación para ellos, hasta los más pequeños han oído hablar sobre el tema. Si se enteran de que sus padres fuman y beben, ellos tenderán a seguir su ejemplo. La mayoría de los expertos concuerda en que no hay problema si los chiquillos ven a sus padres beber una copa ocasionalmente. Una situación muy distinta ocurre cuando perciben que los mayores emplean el alcohol como un mecanismo para escapar de la realidad. En vista de que algunos niños que cursan los últimos años de primaria ya fuman o beben, existe una regla de oro aplicable a todas las edades: nunca involucre a sus hijos en su hábito de beber pidiéndoles que le preparen una bebida o saquen una cerveza del refrigerador.

Asimismo, hay que tener cuidado con los productos disponibles en el hogar. Existen noticias sobre niños estadounidenses de seis años que han tropezado en su casa con inhalables, como productos aerosoles (pinturas o *sprays* de cocina), pegamentos o gasolinas. Aspirar sustancias volátiles supone una nueva y placentera experiencia para ellos, además de que se encuentra muy a mano y no es costosa. Por más momentánea que sea, esta práctica puede causar un daño cerebral permanente, incluso la muerte, de lo cual no son conscientes los niños.

Cómo ver televisión en familia

Si bien los seres humanos nos cuidamos mucho de seleccionar quién entra en nuestra casa, desaprensivamente hemos abierto las puertas a una extraña que invade en forma inopinada la intimidad del hogar: la televisión. Casi siempre de manera acrítica nos tragamos sus mensajes sin discriminar ni estar conscientes de lo que hacemos. Para muchas mamás o adultos que se encuentran al cuidado de los niños, "enchufarlos a la tele" todas las tardes se ha convertido en la mejor manera de tenerlos quietos, de que no "den lata" o hagan "destrozos". Con el paso del tiempo, constatan —si acaso cobran conciencia de la situación— que esta nana barata y siempre disponible no constituye el ayudante idóneo para el cuidado de los niños.

Tampoco vamos a exagerar. Los programas de televisión y las caricaturas no representan, por sí mismos, una fuente de conductas delictivas o antisociales para los más pequeños. Los estudiosos del tema han probado que el ejemplo de los padres representa la herramienta más poderosa para inducir a los hijos a un determinado comportamiento. Mostrar interés en los programas preferidos de éstos y, si es posible, ver con ellos algunos de estos programas, mantendrá a los padres al tanto de los mensajes que reciben cotidianamente. También puede traer grandes beneficios lo siguiente:

- Limiten el tiempo que los niños emplean para ver televisión, sin importar el contenido de los programas. Según cálculos, un chico ocupa un promedio de tres a cuatro horas diarias en esta actividad. Imaginen cuántas otras actividades, de las cuales obtendría mayores beneficios, deja de desarrollar a lo largo de su infancia un niño por permanecer pasmado frente a la pantalla chica.
- No instalen un televisor en la habitación infantil.
- No permitan que los pequeños vean programas con un contenido violento. Si es preciso, cambien de canal cuando aparezcan mensajes inapropiados para ellos. Desde luego, siempre explíquenles por qué lo hicieron. El in-

forme "Gran mundo, pequeña pantalla: el papel de la televisión en la sociedad norteamericana" reveló que, a la edad en que finaliza su educación primaria, un niño medio de Estados Unidos ha visto ocho mil asesinatos y otros cien mil actos violentos. ¿Qué de bueno se extrae de tanta violencia? No es posible saberlo; por eso, más vale ser cauteloso en este renglón.

- Comenten la forma como la violencia y las malas decisiones llegan a herir a la gente. Cuando alguien aparezca muerto o herido, víctima de actos violentos, expliquen a sus hijos que, aunque en realidad el actor no se ha hecho daño, en la vida real esas conductas sí derivan en dolor o muerte. A la vez, pídanles su opinión acerca de otras formas posibles de solucionar los problemas que plantea el programa.
- Pregunten a sus hijos qué opinan sobre cierto programa de televisión o historieta. Aprovechen estos ratos para hablar sobre diferentes temas que sean de interés para ellos, por nimios que éstos puedan parecerles.
- Analicen cómo los personajes de la televisión son parecidos o diferentes a los personajes que ellos conocen.
- Proporcionen un buen ejemplo de espectador inteligente al elegir programas con contenidos que ustedes consideren apropiados o enriquecedores. La televisión bien empleada representa una herramienta maravillosa de aprendizaje y diversión. Toda la familia puede reunirse frente al televisor para ver programas interesantes sobre el mundo animal, los avances científicos, los viajes alrededor del mundo o las biografías de personajes famosos, por ejemplo; todo esto, además del aprendizaje, les

proporcionará temas de conversación y momentos gratos de convivencia.

Los niños de la calle

No podemos dejar de mencionar una realidad lacerante en los países latinoamericanos: el hecho cada vez más recurrente de niños que son abandonados o escapan de sus "hogares" para vivir en las calles.

El fenómeno de las adicciones en estos desheredados de la tierra (en Colombia han llegado al punto de llamarlos "desechables") adquiere características distintivas porque reúne todas las agravantes del caso, sumadas a la indiferencia de gran parte de la sociedad y la falta de eficiencia de los gobiernos. ¿Quién, de vivir en la situación de estos pequeños, no trataría de escapar al infierno en que habitan cotidianamente, por la vía de las drogas o de cualquier otro modo posible?

Desde luego, es inadmisible concebir un proyecto de naciones más justo si se relega la búsqueda inteligente y participativa de las comunidades para solucionar esta vergüenza social que, por desgracia, está adquiriendo visos de normalidad.

Adolescencia

Juan Carlos ingresó a la secundaria con gran ilusión y optimismo. Un nuevo colegio donde admitían a los muchachos rechazados de otros planteles más exigentes, profesores y compañeros que no lo conocían y con quienes quizá podría establecer buenas relaciones, nuevas amistades... Atrás quedaban los fracasos escolares, los reportes de mala conducta por agredir a otros muchachos, los frecuentes castigos y regaños familiares.

Pronto se encontró a sus anchas. La poca exigencia académica del nuevo colegio le permitía contar con más tiempo libre para *pasar* con sus nuevos *amigos*, con quienes compartía muchos intereses. El principal, pasarlo bien. Asistía con frecuencia a fiestas, donde comenzó a tomar alcohol, como los demás, para sentirse "en ambiente" y actuar sin inhibiciones. Del alcohol pasó a probar el éxtasis y otro tipo de sustancias. Sin saberlo, al ingerir alcohol, Juan Carlos estaba dañando su estómago, hígado y cerebro de manera importante porque a una edad temprana el organismo todavía no se encuentra maduro para metabolizar esta sustancia.

Mientras tanto, los padres de Juan Carlos ignoraban el momento crítico que vivía su hijo, quien transitaba de la experimentación con alcohol y drogas al abuso y necesidad de obtener las sustancias. Un desafortunado accidente automovilístico, que costó la vida al muchacho que conducía, fue la causa de que los padres se enteraran de la enfermedad de su hijo y tomaran cartas en el asunto para iniciar su rehabilitación. No obstante, esto era sólo el principio de un largo camino, pues, como veremos en el capítulo correspondiente, el proceso de desintoxicación suele ser difícil y doloroso.

De niño a adulto

Para muchos padres, que ven con temor o aprensión esta etapa del desarrollo de sus hijos, la adolescencia es sinónimo de crisis, de problema. En efecto, hablamos de una crisis que puede significar una oportunidad de crecimiento, de la que el joven puede salir airoso, fortalecido, con la energía necesaria para iniciar su camino hacia la maduración completa. O, de lo contrario, desarrollar una personalidad conflictiva.

Adolescencia proviene del latín *adolescere*, que quiere decir crecer aceleradamente. Este término designa "los aspectos psicológicos y sociales, también de maduración, que se inician con y por la pubertad; es pues, un proceso, el proceso de hacerse adulto".[1] Como es lógico, además de los cambios físicos evidentes, el adolescente experimenta cambios psicológicos muy importantes, como: incremento de la capacidad para el pensamiento abstracto, desbordamiento de la imaginación y la fantasía, aumento de la agresividad e intensificación del impulso erótico. En su proceso de ser persona, de individuación, los adolescentes están dando los primeros pasos para independizarse y desarrollar un código moral propio.

Parece sencillo, pero resulta sumamente complicado. En unos cuantos años el joven tendrá que adquirir una identidad, consolidar la auténtica vocación personal, desarrollar su sexualidad, lograr emanciparse de los padres para iniciar posteriormente su propia familia y encontrarle un sentido a su existencia. Casi nada; se trata de calibrar y ajustar todas las herramientas con las cuales enfrentará al mundo de ahí en adelante. Para lograr todo lo anterior, el muchacho necesita reflexionar sobre sí mismo, preguntarse quién es y hacia dónde se dirige, en una palabra, descubrir su yo. En el proceso, revisa aquello que le habían dicho y en lo que había creído, por eso cuestiona todo a su alrededor, en especial a sus padres, a su familia.

La adolescencia denota el período más vulnerable en la vida de los jóvenes, donde la presión de grupo impacta fuertemente. Los chicos comienzan a alejarse de los padres en busca de su identidad. Dicha identidad "se forma con elementos positivos (lo que creemos que debemos ser y esperamos llegar a ser) y negativos (lo que no deseamos ni esperamos ser). El adolescente es vulnerable debido a esa dualidad, ya que puede llegar a identificarse con los elementos negativos cuando su situación vital obstaculiza la formación de una identidad positiva".[2]

Con las hormonas rebosantes, los adolescentes desean probar cualquier cosa que los haga parecer *cool*. Cierta dosis de comportamiento escandaloso forma parte normal del crecimiento (pelo largo, pintado o en puntas; vestimenta estrafalaria; música ruidosa; *piercing*) y los padres deben aceptar que esto ocurra. Por lo demás, este período significa un tiempo vital para mantener abiertos los canales de comunicación con los hijos.

Las amistades peligrosas

> Alfredo: Tenía 15 años de edad cuando terminé mis estudios de secundaria y un amigo me invitó a ayudarle en su trabajo durante las vacaciones; este lugar era una vulcanizadora y llegaban a ella muchos taxistas a arreglar sus llantas. En una ocasión, llegaron varios de ellos e invitaron a mi amigo a tomar unas cervezas; me mandaron a mí por ellas. Cuando regresé, uno de ellos me dijo que me tomara una, a lo cual me negué, diciéndole que nunca había tomado, pero al empezar las burlas y bromas hacia mí, me decidí a tomarla. No recuerdo si llevaba dos o tres, cuando uno de ellos sacó un cigarrillo de marihuana y me invitó diciendo que con eso me iba a

> convertir en un hombre, y así, en esa ocasión, inicié mi carrera de drogadicción que fue de cinco años.
>
> Los efectos y las sensaciones que tuve con las cervezas y la marihuana habían sido totalmente agradables, por lo que seguí en ese trabajo, sin importarme regresar a la escuela, ya que en el trabajo había siempre alcohol y marihuana. Empecé a faltar más y más a casa de la abuela y ella empezó a darse cuenta del camino equivocado que estaba llevando, por lo que me regresó a casa de mis padres, la cual estaba ubicada en una ciudad cercana. En este lugar empecé a reunirme con una supuesta banda de jóvenes ingobernables como yo, lo cual me gustó porque nos dedicábamos a fumar marihuana. Ahí empecé a inhalar cemento y a consumir otro tipo de drogas, a convivir con mujeres drogadictas, a tener pleitos con otras supuestas bandas y a cometer toda clase de robos.[3]

Abundantes investigaciones indican que los períodos donde los muchachos resultan más vulnerables en general son los llamados de transición, cuando pasan de una etapa de desarrollo a otra. La primera gran transición tiene lugar en el momento en que los hijos dejan la seguridad de la familia para asistir a la escuela. Durante la segunda, cuando comienzan la secundaria, con frecuencia enfrentan desafíos sociales, como aprender a llevarse bien con un grupo más numeroso de compañeros. Más tarde, al ingresar a la preparatoria, surge otra etapa crítica en la cual los jóvenes deben afrontar desafíos sociales, psicológicos y educativos que pueden llevarlos al consumo de alcohol, tabaco y otras drogas.

A la vez que progresan en su faceta individual, aparece como trascendental el desarrollo de la faceta social. Conforme van creciendo, los amigos cobran gran importancia; su aceptación puede serlo todo. Los amigos ofrecen al adolescente nuevas vías de aprendizaje que no le brinda la familia, y le proporcionan la satisfacción de pertenencia mediante: la libertad de opinar, la oportunidad de tener fe en algo que en esos momentos le parece importante, sentirse útil, asumir lo que el líder determine o quizá convertirse él mismo en líder. De ahí que se "disfrace", hable y actúe como los otros. Con tal de que los *amigos*, la pandilla, la banda, el grupo —quizá el referente más importante en esta etapa de su vida— no lo señalen como "cobarde", "gallina", etcétera, el muchacho incurrirá en errores, en conductas inapropiadas que conllevarán gran riesgo para él. Si entre lo que el grupo propone se encuentra ingerir alcohol o probar otras drogas, lo hará, a menos que haya desarrollado la suficiente fuerza interior para decir no. No obstante, resistir la presión de "la banda" y rechazar las invitaciones de sus amigos a probar sustancias prohibidas parece muy difícil en un momento en que muchos jóvenes carecen del sentido de afirmación necesario para alejarse o defender sus propias ideas, aun en contra de la opinión de los demás.

Consumir por primera vez

> Héctor: Para ese entonces había convertido en un ídolo a mi amigo, pues su manera de ser y de desenvolverse en la escuela y en el barrio donde vivíamos me habían impresionado tanto, que lo seguía a todas partes donde iba. Un día me enseñó lo que era la marihuana, y al fumarla, las diferentes reacciones que sentí me parecieron agradables, tal vez por la edad [10 años], sin imaginarme las

consecuencias que después la marihuana me acarrearía. Vino primero el abandono de la escuela, que oculté a mis padres, y después aprendí a cometer otra clase de robos, como lo fueron de bicicletas, de partes de automóviles y de diferentes cosas de las tiendas de autoservicio. Para ese entonces yo tenía contacto con diferentes clases de droga, como la marihuana, el cemento, las pastillas, los solventes y el alcohol.[4]

"Únicamente 4% de los chicos que probaron droga fueron iniciados por un vendedor desconocido", asegura la doctora Medina-Mora, "pues, en contra de la creencia popular de que los muchachos comienzan a usar sustancias a partir de que un agente extraño o un ***dealer*** (vendedor) los incita a hacerlo, se ha visto que los iniciadores son los amigos, en ocasiones hasta los hermanos".

García señala que, al momento de incorporarse a nuevas formas de actuar dentro de un grupo, el adolescente carece de un proyecto de vida. Al mismo tiempo, vive en una sociedad permisiva hacia el uso del alcohol. "En lo cotidiano, la familia celebra cualquier acontecimiento social con esta sustancia. El adolescente no imita llevarse el trago a la boca o fumar, imita las actitudes, las manifestaciones de placer, de desinhibición. El joven desea experimentar estas sensaciones con sus amigos, ya que el consumo habitual de alcohol en casa no satisface su curiosidad, aunque, eso sí, puede propiciar que se convierta en un hábito".

La Encuesta Nacional de Adicciones de 1993 de México, (ENA) hizo evidente que 47 de cada 100 mexicanos de ambos sexos se habían iniciado en el consumo de alcohol entre los 15 y los 18 años, y 93 de ellos admitieron haber bebido incitados por la curiosidad o por su grupo de amigos. Más tarde, para completar el cuadro, diversos estudios realizados por los Centros de Integración Juvenil (CIJ) confirmaron una realidad alarmante: es alrededor de los 12 ó 13 años cuando los muchachos empiezan a usar drogas.

En efecto, la adolescencia comprende un período de transición caracterizado por el estrés, la ansiedad y la búsqueda de sensaciones nuevas. El consumo de sustancias, entonces, puede iniciar como una forma de manejar emociones negativas y en respuesta al sentimiento de vivir en un mundo caótico y hostil. Los jóvenes en una situación así comienzan a usar tabaco y alcohol, siguen con la marihuana y, a medida que su dependencia aumenta, incorporan el uso de otras drogas. Los estudiosos del tema encuentran varias explicaciones para esta progresión, mismas que van desde las causas biológicas hasta las sociales y de conducta. El orden de uso se relaciona directamente con las actitudes y normas sociales propias de cada muchacho y la posibilidad que tiene de adquirir las sustancias.

La decisión de probar la droga tiene alcances importantísimos porque esta primera ocasión puede derivar en el futuro abuso y dependencia, o en el rechazo posterior de la sustancia. El primer caso sucede en el momento en que el muchacho encuentra agradables los efectos psicoactivos y, el segundo, cuando sufre de mareos, vómitos, alucinaciones o efectos delirantes y llega a sentir aversión por la droga. Si a este último efecto lo rodean circunstancias como que el chico viva en un medio donde se rechazan las drogas, o bien que haya probado una sustancia presionado por un grupo pero que en el fondo no lo haya deseado, será más probable que no repita la experiencia.

No puede decirse que el uso de tabaco y alcohol a edades tempranas sea necesariamente causa del abuso de sustancias en etapas posteriores de la vida, ni tampoco que la progresión sea inevitable. No obstante, el tabaco está considerado como la "droga portal", que puede llevar al uso del alcohol, la marihuana y otras drogas ilegales. Diversos estudios muestran que los estudiantes de secundaria o preparatoria que fuman están más dispuestos a correr otros riesgos, como ignorar el uso de cinturones de seguridad, verse envueltos en peleas, portar armas y tener relaciones sexuales a una edad temprana. Es preciso no alarmarse, pero sí tomar en cuenta las estadísticas estadounidenses, derivadas de la Encuesta Nacional de Hogares sobre el Abuso de Drogas (1991-1993):

> Alguien que haya fumado o bebido presenta un riesgo de consumir marihuana 65 veces mayor que aquella persona que nunca lo haya hecho. El asunto va más allá, pues el riesgo de inclinarse hacia la cocaína es 104 veces mayor para quien haya fumado marihuana por lo menos una vez en la vida, que para quien no lo haya hecho nunca.

Cómo evitar que los hijos fumen

Tan contundente información corrobora la importancia que adquiere el hábito de un sinnúmero de muchachos de consumir tabaco y alcohol cada vez a menor edad. Si los padres no pueden evitarlo, cuando menos deben intentar convencer a sus hijos de retrasar lo más posible la edad de inicio en el consumo de drogas legales. Existen algunas medidas que pueden tomar con el propósito de reducir el riesgo de fumar que corren los muchachos en la adolescencia:[5]

- Si alguno de ustedes fuma, intente dejar de hacerlo. En caso de que no pueda abandonar este hábito, no fume delante de sus hijos. Comparta con ellos su experiencia de haber empezado a fumar cuando aún se desconocían los efectos nocivos de la **nicotina** y los demás químicos añadidos al tabaco de los cigarros. Cuénteles cómo, a pesar de que le hace toser por las mañanas o disminuye su capacidad respiratoria o le provoca un terrible mal aliento, no ha sido capaz de dejar de fumar.
- No permitan que se fume en su casa y hagan respetar esta regla. Si dejan que uno de sus hijos lo haga en su presencia, después los hermanos tenderán a imitarlo, además de que, al fumar abiertamente, incrementará la cantidad de su consumo.
- Eviten que sus hijos manipulen los materiales relacionados con el hábito de fumar, como cajetillas de cigarrillos, encendedores, puros, cigarreras, etcétera.
- No compren a sus niños cigarros de dulce o de chocolate. Son símbolos de cigarros reales y los pequeños que los usan pueden correr el riesgo de desarrollar una tendencia mayor a fumar.
- Discutan con sus hijos las imágenes falsas y engañosas que se emplean en los anuncios y películas donde presentan el acto de fumar como glamoroso, saludable, sensual y maduro.
- Enfaticen los efectos negativos del hábito de fumar a corto plazo: mal aliento, dedos amarillentos, olor en la ropa, respiración corta y disminución del rendimiento en los deportes.
- Pregunten acerca del consumo de tabaco por parte de sus amigos. Elogien a los muchachos que no fuman.

- Enfaticen que la nicotina es adictiva. Enseñen a los niños a decir "NO" al tabaco mediante juegos donde se representen situaciones en las que sus amigos les ofrezcan cigarrillos.

Cifras relacionadas con las adicciones en la adolescencia

Sustancias ilícitas

Varios estudios llevados a cabo entre estudiantes de enseñanza media y media superior de la ciudad de México muestran un hecho preocupante: aunque el consumo de drogas en esta población se ha mantenido estable en los últimos seis años, las preferencias por cierto tipo de drogas han cambiado. Actualmente, el orden de consumo para los hombres es: la marihuana, la cocaína y los inhalables, mientras que hace seis años era los inhalables, la marihuana y los tranquilizantes.

La marihuana ocupa el primer lugar entre las sustancias preferidas por los adolescentes, seguida del consumo de cocaína (4,1%), los inhalables (3,9%) y los tranquilizantes (3,2%). La experimentación con marihuana aumentó de 3% en 1993 a 5% en 1997 y el uso en el mes previo al estudio se mantuvo estable (1,1% y 1,2%). Este repunte en el consumo no es el primero que se da en el país; ya en los años 70 su uso se extendió entre los soldados y los jóvenes de todas las clases sociales que la consumían por influencia del movimiento *hippie* y como un símbolo de rebelión contra el *statu quo*, comenta Medina-Mora.

El índice de menores que experimentaron con la cocaína aumentó de 0,5% en 1976 a 4% en 1997, con dos brotes importantes en 1989 y 1997. En los últimos cinco años, la cifra de adolescentes que probaron esta droga pasó de 2% en 1993 a 4% en 1997.[6] La citada investigadora atribuye como la causa principal del incremento en el consumo del llamado "polvo de ángel" al abaratamiento en el costo, debido a que se vende rebajado con otras sustancias, como talco o vidrio molido.

De la población total de estudiantes, 7,8% son usuarios experimentales de drogas y 3,7% son usuarios regulares (es decir, las han probado en más de cinco ocasiones).

Alcohol

Las estadísticas sobre el alcohol, que junto con el tabaco representan el principal problema de salud por el consumo de drogas legales en México, también son un foco rojo. En 1995, los pacientes atendidos por los Centros de Integración Juvenil reportaron haber iniciado el consumo de alcohol antes que otras drogas, pero únicamente 11,3% de éstos se mantuvieron como monousuarios; el resto inició el uso de alguna otra droga. "Ya no existen actualmente alcohólicos puros", comenta otra entrevistada, la psicóloga Sandra Otálora.[7]

En el Distrito Federal, se encontró que 54 de cada 100 adolescentes han usado alcohol alguna vez en su vida, y que 30 de ellos lo consumieron el último mes.

En cuanto al ámbito escolar, en la secundaria, 21,1% de los adolescentes ha bebido alcohol en el último mes, porcentaje que se duplica en las escuelas de educación media superior. Los resultados indican que 23% de los estudiantes consume cinco copas o más en cada ocasión, al menos una vez al mes.

Recomendaciones para padres de adolescentes

Muchas veces, el adolescente teme no ser comprendido, en vista de lo cual se aísla y guarda en secreto sus pensamientos más íntimos. Por ello, es preciso crear un ambiente de comunicación donde el joven pueda exponer sus sentimientos e inquietudes. Las siguientes recomendaciones de los expertos pueden ser de gran utilidad. Recuerden que cuando los adolescentes se sienten más compenetrados con sus padres, tienen menos probabilidades de caer en comportamientos autodestructivos:

- *Redoblen la guardia*. Los padres, quienes representan la influencia más importante en la vida diaria de sus hijos, deben estar atentos. Es necesario que sean conscientes del cambio que ellos experimentan en una edad de gran energía y plagada de deseos por vivir nuevas experiencias. Consideren el primer año de bachillerato como el inicio de otro *jardín infantil*: los muchachos están recomenzando y enfrentándose a un nuevo tipo de compañeros, a menudo mayores y más experimentados. Traten de estar pendientes y alerta ante las situaciones inusitadas que vive el muchacho y muestren interés en sus nuevas responsabilidades.
- *Proporciónenles información correcta, sin atemorizarlos*. En realidad, la mayoría de los chicos sabe más de drogas que sus padres. Entonces, lejos de poner en práctica tácticas de miedo, deben armar a sus hijos con información útil para resistir las presiones y superar las tentaciones que surgirán en su entorno. Multitud de mensajes dirigidos a los jóvenes están diseñados para ate-

morizarlos. Por un lado, en su casa escuchan: "Si bebes, te volverás un alcohólico"; "cualquiera que consume drogas está muy mal". Por otro, son testigos de que un compañero es muy popular en el colegio, aunque fume marihuana, o ven por televisión que su futbolista favorito bebe y sigue jugando bien. Como es lógico, esta contradicción los lleva a cuestionar el mensaje y vulnera la credibilidad paterna.

- *Establezcan límites, pero eviten la palabra "prohibido"*. Ya se sabe, una característica de los adolescentes es la rebeldía e ir en contra de la autoridad. Todo lo prohibido llama más su atención. Por ejemplo, si intentan separarlos de su grupo de amigos impidiéndoles salir con ellos, con mayor razón buscarán su compañía en el momento que menos se imaginan. Poner límites no consiste nada más en "ya te dije mil veces que...", sino en realmente explicar y discutir las reglas en el interior del hogar.
- *Háblenles de acuerdo con su realidad e intereses*. No resulta muy efectivo explicar los efectos de las drogas a largo plazo a una edad en que los muchachos están más preocupados por quedar bien y ganar popularidad entre sus compañeros y amigos que por su salud. Argumentos como: "Fumar causa mal aliento; mancha los dedos y los dientes", o "Si bebes, te sentirás mal y vomitarás frente a tu grupo", tendrán más peso en un período en el cual los muchachos se sienten invulnerables, casi inmortales.
- *Cuando menos uno de ustedes trate de estar en casa para recibir a sus hijos cuando lleguen de la escuela*. Investigaciones provenientes de Estados Unidos muestran que la

"hora de peligro" del uso de sustancias nocivas es entre las 3 y las 6 de la tarde, en momentos de soledad, cuando no se encuentra alguien cerca de los muchachos.

- *Conozcan a los amigos de sus hijos y a sus padres.* Organicen reuniones con estos últimos y planeen quién los acompañará en sus salidas. Asegúrense de que las fiestas a las que asisten están libres de drogas y establezcan reglas claras acerca de las horas de llegada o recogida. Confirmen que existe la supervisión de un adulto en el caso de que sus hijos regresen con amigos.
- *Monitoreen los lugares donde se reúnen sus muchachos.* En el momento en que un muchacho desea consumir drogas, lo hará donde, cuando y con quien quiera; es decir, en la escuela, cualquier día de la semana o en su propia casa. Si sus hijos van a realizar un trabajo escolar o a comer con algún compañero, averigüen cómo es y quiénes son sus padres.
- *Proporcionen a sus hijos herramientas para que se reporten con regularidad desde el lugar donde se encuentren.* Es importante que carguen una tarjeta telefónica, un buscapersonas o un teléfono celular para que les llamen. Pídanles que se comuniquen con ustedes cuando exista un cambio de planes sorpresivo. Recuérdenles que pueden contar con ustedes siempre que sea necesario.
- *Fijen una hora determinada para que los muchachos regresen a casa y hagan que sea estrictamente respetada.* Tengan la flexibilidad de negociar sólo en ocasiones especiales.
- *Hagan caso de sus instintos.* No teman intervenir en el caso de sentir la corazonada de que algo anda mal con sus hijos.

- *Mantengan a sus chicos ocupados*. Las investigaciones han demostrado que cuando los adolescentes carecen de supervisión y tienen poco que hacer corren más peligro de experimentar con sustancias ilícitas y alcohol. Actividades extracurriculares y obligaciones en la casa no sólo los mantienen ocupados, sino que también les enseñan el sentido de responsabilidad. Los padres pueden enfocar la energía y la curiosidad de sus hijos en pasatiempos que les resulten gratificantes —como practicar algún deporte de competencia, aprender a tocar un instrumento musical o realizar actividades manuales, artísticas, de relación con la naturaleza o de participación en su comunidad—, creándoles expectativas positivas en torno a ellos.

La mayoría de edad

Durante la cuarta etapa de transición, cuando llegan a adultos jóvenes y acuden a la universidad, se casan o ingresan a la fuerza de trabajo, los muchachos enfrentan, una vez más, el riesgo de consumir alcohol u otras drogas.

Cumplir 18 años, edad en la que se puede votar y se es "adulto", no garantiza nada. La madurez no aparece automáticamente. Es más, cada vez con mayor frecuencia encontramos muchachos mayores de 18 muy inmaduros porque se les ha sobreprotegido o están desorientados a causa de la cantidad de información disponible y las múltiples elecciones que deben hacer para decidir su vida futura.

Los adultos jóvenes padecen de elevados niveles de tensión y experimentan conflictos personales y sociales. Los padres no suelen estar conscientes de esta situación. "El chico es todo menos él. Lo presionamos constantemente, queremos que sea un triunfador, que estudie la carrera que nosotros deseamos. Nunca le preguntamos '¿cómo te sientes?' En su rebeldía nos está manifestando: 'Ya déjenme en paz'. Los jóvenes de todos los niveles sociales sufren por no obtener las calificaciones que desean, carecer del automóvil o la ropa con que sueñan, no lograr la aceptación de quien les gusta, etcétera. Algunos soportan el dolor y se sobreponen a él, pero otros muchachos se refugian en el alcohol y las drogas, toman la medicina equivocada para caer en un problema más profundo. Sienten una liberación, un relajamiento, lo malo es que desean volver a sentir igual", opina Villarreal.

¿Casarse? Cada vez se pospone o descarta con mayor frecuencia el proyecto a largo plazo de llevar adelante una vida en común. Para muchos jóvenes, dar este paso carece de importancia o de sentido al ver la realidad: dos de cada tres matrimonios de jóvenes terminará en divorcio, según proyecciones llevadas a cabo en Estados Unidos. Cifras proporcionadas por el Instituto Nacional de Estadística, Geografía e Informática de México (Inegi) muestran que el número de mexicanos que se divorció en 1998 fue un poco más del doble del que lo hizo en 1980 (ocurrieron 45 889 y 21 548 divorcios en tales años, respectivamente).

Perfil de los jóvenes

Desde luego, no es posible referirse a la juventud en general sin tomar en cuenta las diferencias de género, condición socioeconómica, escolaridad o grado de participación en la comunidad.

Veamos una muestra de las preocupaciones, necesidades y expectativas de los muchachos de entre 15 y 25 años que viven en la ciudad de México. A través de una encuesta que se realizó en 2001, podemos conocer, de primera mano, la opinión de los jóvenes de esta edad sobre unos cuantos tópicos, como la madurez, la familia y las drogas. En la siguiente selección de respuestas el lector podrá apreciar la contundencia y la sabiduría que se desprenden de sus palabras:[8]

Sobre la edad y la madurez

- "La adultez es la capacidad de hacernos responsables de lo que hacemos; la madurez no se relaciona necesariamente con la edad".
- "Las condiciones de la ciudad... por una parte el estrés, por otra parte el tráfico... llegas a donde tienes que llegar con un carácter muy... agresivo".
- "Empleas tus ocupaciones en otras cosas, más que en lo que realmente te debe interesar".
- "Soy joven porque todavía no estructuro bien mi vida y tengo oportunidad de cambiar, pues todavía me apoyan mis papás".
- "Los adolescentes están en proceso de ser una persona adulta, están tomando experiencias de algunos".
- "El adolescente se define por los cambios acelerados que vive física y mentalmente, mientras que el joven ya está en una condición más estable".
- "La edad para ser adulto te la marca la sociedad; yo todavía me siento joven y no me siento mal".
- "Tener madurez es darte cuenta de los errores que has tenido y tratar de no volverlos a cometer".

- "Se puede tener sentido de responsabilidad desde niño, adolescente o adulto joven".
- "Creo que un tipo de salud mental es saber lo que quieres".

Sobre la familia

- "Si los padres no conocen los problemas de sus hijos, no están haciendo bien su labor como padres".
- "Yo le daría una mayor importancia a los problemas familiares".
- "Las mujeres se quejan de nosotros los hombres, pero ustedes son las que nos están educando, entonces ustedes nos educan mal".
- "No hay comunicación ni confianza entre padres e hijos".
- "A nivel familiar nos falta integrarnos, dialogar, que conozcamos lo que no les parezca incluso a nuestros hijos".
- "Mi papá siempre ha sido muy fuerte en el sentido de que no siente nada, no ve nada; mi mamá era la que trataba de hablar".
- "Muchas veces te dicen que los hombres no lloran; ¿por qué no?, también somos humanos".

Sobre el consumo de drogas

- "Este problema se da por la desintegración familiar".
- "Para contrarrestar el consumo debe haber relaciones sin drogas; los muchachos que se drogan tienen amigos con los que se drogan. Una salida sería tener amigos fuera de ese círculo".

- "Tienes que tener carácter para resolver tus problemas familiares o económicos".
- "Mis dos hermanos son drogadictos, pero se puede salir adelante con la unión familiar".
- "Las conferencias que la escuela ha contactado con CIJ no funcionan porque son esporádicas y la información es muy repetitiva; los muchachos ya conocen las drogas, las usan, quieren que les hablen de otra cosa".

Como padres, nuestro comportamiento deja mucho que desear. ¿Por qué, con el paso de los años, olvidamos cómo nos sentíamos, la intensidad de nuestros deseos, la vehemencia con que defendíamos nuestras ideas y la pureza de nuestros sueños juveniles? De seguro, los jóvenes de hoy experimentan muchas de nuestras vivencias de entonces. Refrescar la memoria sería un buen punto de partida para tratar de comprenderlos y acercarnos a ellos.

Como sociedad civil, hemos cerrado las puertas y los oídos a los jóvenes. Andan por ahí, carentes de un proyecto de vida realista, desencantados al no encontrar cabida en el mundo injusto, hostil y corrupto que los adultos construimos para ellos y en el cual no los dejamos participar. ¿Es ésta una opción viable para desarrollarse en el plano familiar, laboral y social? Pretendemos cómodamente que las instituciones resuelvan todo y les achacamos nuestros males cuando, en realidad, no participamos en los proyectos que nos conciernen a nivel comunitario.

Como gobierno, no existe una política de creación de empleo consistente, donde se tome en cuenta la necesidad de los jóvenes de incorporarse a la fuerza de trabajo. Con frecuencia, su frustración y desencanto ante la falta de una perspectiva laboral provocan conductas antisociales o autodestructivas.

Problemas de los jóvenes en cifras

Sin duda, el paso hacia la madurez puede resultar penoso, según se concluye de las cifras: de los 2 414 suicidios que tuvieron lugar en México durante 1998, 32% correspondió a muchachos de entre 15 y 24 años. Ese mismo año hubo 433 intentos de suicidio, 210 de los cuales (un elevado 48%) fueron llevados a cabo por los jóvenes de este grupo de edad.[9]

Las presiones y problemas que enfrentan los muchachos de entre 19 y 25 años se reflejan en el consumo de alcohol, pues este segmento de la población ocupa el segundo lugar entre los bebedores consuetudinarios (aquellos que reportan consumir esta sustancia una vez por semana o con mayor frecuencia y que ingieren cinco copas o más por ocasión).[10]

La **prevalencia** de abstención entre los menores de 14 años fue de 57%, pero al llegar a los 17 años únicamente 20% de los estudiantes seguían siendo abstemios. Atención a los adultos y el ejemplo que brindan, pues la mayor prevalencia de consumo de alcohol se encuentra entre quienes rebasan los 45 años.[11]

La adicción femenina

Hablar de las características que adquiere el fenómeno de la drogadicción desde el punto de vista femenino resulta sumamente complejo porque nuestra cultura estigmatiza y descalifica a la mujer adicta. Con las premisas de que debe estar antes que nada al cuidado de los otros, de que autovalora el hecho de dar y tiende a evitar el conflicto, la adicta padece "sentimientos de culpa, vergüenza, descuido, baja autoestima, justificación y soberbia, culminando quizá en una gran depresión". Entonces, ella vive la culpa de dos maneras: hacia fuera, "culpándose de lo que no hizo para que los otros se sintieran o estuvieran bien con ella; por pleitos que no se debieron tener, por lo escondido (la sustancia, el dinero, las pertenencias de otros, valores, angustias, los enojos, las frustraciones); por el apoyo ofrecido no tomado, por todo lo no hecho para los demás; y hacia sí misma, por lo mala que pudo ser por no estar en el momento preciso en que los demás la necesitaban y sobre todo por la vergüenza causada a la familia".[12] Frente a estos sentimientos de vergüenza y culpa, la mujer calla y oculta su adicción.

Para completar el cuadro, a menudo enfrenta violencia intrafamiliar, incluso abuso sexual dirigido a su madre o a ella misma. En la adolescencia, su propia condición la hace más vulnerable a experimentar conductas de riesgo, como ser víctima de violencia fuera del hogar y usar o abusar de drogas inducidas por los grupos que frecuenta.

Los estilos de vida femeninos también tienen un impacto en la salud. En una investigación realizada en el Distrito Federal y el área metropolitana, salió a relucir que las mujeres "acuden con mayor frecuencia a los servicios médicos y una mayor proporción de ellas presenta enfermedades de las vías respiratorias y del sistema gastrointestinal, los hábitos alimenticios son más riesgosos y pobres en el caso de las mujeres y los eventos negativos en el área familiar también se dan en una proporción mayor (...) 34% de las mujeres entrevistadas reportan vivir en un entorno negativo con respecto al uso de drogas, es decir que, aunque ellas no consumen, el abuso de sustancias está presente en familiares y amigos, mientras que, por otro lado, en los hombres de la muestra, únicamente 9% reportó alto riesgo en esta variable".[13] Tales situaciones de riesgo, adversidad y desigualdad femeninas derivan en comportamientos como **codependencia** y adicción que, muchas veces, las cifras ocultan.

Las características biológicas y psicológicas determinan igualmente distintas formas de afectación cuando las mujeres consumen drogas y alcohol. En la población femenina convergen factores de riesgo, como los **neuroendocrinos**, que conllevan cambios hormonales en el ciclo menstrual, en la etapa posterior al parto y en la menopausia.

Por las razones anteriores, un programa de prevención que tome en cuenta a las mujeres debe considerarlas como parte de una comunidad social donde imperan numerosos factores de riesgo que las afectan lo mismo que a los hombres. Por su función social y capacidad biológica y psicológica, ellas constituyen un agente de cambio clave para transformar el ambiente en el cual viven y se desarrollan, opina Castro.

El alcohol

Al ingerir alcohol, la mujer presenta una doble vulnerabilidad:

- Un daño biológico mayor, pues su organismo se afecta con menores dosis y menor tiempo de consumo que el varón.
- Un daño social y emocional, al ser objeto del rechazo de su entorno cuando bebe y desarrolla problemas. "Las normas sociales influyen de manera significativa a la hora de juzgar el comportamiento femenino frente al alcohol

—hace ver Medina-Mora—. Se considera que ellas no deben consumirlo, pero no está mal visto que los hombres se embriaguen ocasionalmente".

Excederse en el consumo etílico las afecta más a ellas, asegura Ed Lacey. "Después del quinto tequila, una mujer y un hombre se suben a una mesa a bailar. Él se quita la camisa y ella la blusa, y así sucesivamente se van desvistiendo. Mañana, él va a presumir con sus amigos por lo que ocurrió, y ellos quizá hasta lo envidiarán. ¿Compartirá ella esa experiencia con sus amigas? Claro que no, por la vergüenza que siente. En tanto ella sufre un daño psicológico, a su contraparte masculina no le afecta.

"En otros países, la gente acepta más el alcoholismo o la drogadicción femeninas. Por ejemplo, en Estados Unidos, se sabe que Anne Richardson, ex gobernadora de Texas, es alcohólica en recuperación, y no pasa nada, al igual que con aquellas mujeres que lo han reconocido públicamente y caminan por ahí con dignidad. Mientras esa sociedad las apoya y las admira, en México ocurre algo muy distinto", conviene Lacey.[14]

Las chicas inician el consumo de alcohol a edades más tardías que los varones. A decir de las encuestas, mientras que 33% de ellos bebió su primera copa completa de alcohol antes de cumplir los 18 años, 27% de ellas lo hizo entonces. En promedio, las mujeres comienzan a beber alcohol entre los 18 y los 29 años.

Malas noticias: el consumo femenino de alcohol se ha incrementado durante los últimos años, con una disminución importante de la tasa de abstención, la cual pasó de 83,5% en 1988, a 55,3% diez años más tarde. En los varones, la abstención bajó de 27% a 23% en el mismo lapso.[15] A pesar de que ellas beben alcohol con menos frecuencia que los hombres, tienden a consumir cantidades mayores. O sea, cuando una mujer rebasa la barrera social que la protege del consumo, bebe más, situación que la pone en mayor riesgo de sufrir consecuencias adversas y dificulta su rehabilitación.

Los reportes médicos evidencian que las mujeres buscan tratamiento cuando su dependencia se encuentra en un estado más avanzado. Con frecuencia, sus historias médicas incluyen antecedentes de alcoholismo en los padres y un consumo inicial en las últimas fases de la infancia o en la adolescencia temprana.

Las sustancias ilícitas

Muchas usuarias de drogas han encarado durante su vida graves desafíos a su bienestar. Investigaciones efectuadas en Estados Unidos arrojan luz sobre la farmacodependencia femenina. Así:

- El perfil de la mujer adicta: persona con poco amor propio, escasa confianza en sí misma y con sentimientos de impotencia o depresión.
- Hasta 70% de las mujeres que abusaron de las drogas declararon haber sufrido maltrato físico y sexual.
- Como sucede con el alcohol, existe una probabilidad mayor de que las mujeres informen sobre una historia de alcoholismo y drogadicción por parte de sus padres, que los varones.
- Fueron iniciadas en el consumo por sus compañeros sexuales drogadictos, y experimentan gran dificultad en abstenerse de la sustancia cuando el estilo de vida de su pareja respalda el uso de drogas.

- Con frecuencia, no buscan tratamiento por miedo.
- Aun con el uso experimental o casual, ellas pueden volverse adictas más rápido que el hombre a ciertas sustancias como la cocaína y el *crack*. Por tanto, cuando una mujer comienza a recibir tratamiento, su adicción puede estar en un estado muy avanzado.[16]

En México, el consumo de pastillas controladas médicamente es digno de tomarse en cuenta, pues de cada 100 casos donde se detectó una dependencia a las drogas con receta médica, 63 corresponden a mujeres y 37 a hombres. La mayoría recurre a los **depresores** del **sistema nervioso central**; le siguen los **opioides**, los estimulantes y otros medicamentos.[17] La doctora Eroza alude al problema que implica este consumo en el interior del núcleo familiar, pues además del ejemplo contraproducente que reciben los hijos, resulta difícil para las mujeres aceptar su dependencia hacia los fármacos. La justificación utilizada con mayor frecuencia por las pacientes es: "Los tomo porque me los recetó el doctor".

En lo referente al uso de drogas ilegales, la correlación de hombres y mujeres varía por región. En las ciudades del norte de México se encuentran entre seis y siete consumidores por cada consumidora, mientras que en Guadalajara y la ciudad de México la relación es aproximadamente de diez a una, según cifras del Conadic.

También, la tendencia de la participación femenina en el consumo de sustancias va en ascenso: mientras en 1993 había en el país 23 hombres por cada mujer que usaron alguna droga ilegal en los 30 días previos a la ENA, en 1998 esta relación fue de 15 a 1.

El tabaco

La divulgación de estereotipos sobre la utilidad del tabaco en la reducción del apetito —creencia totalmente falsa, por lo demás— ha llevado a muchas adolescentes preocupadas por su imagen a adoptar y mantener el hábito de fumar. Al parecer, también en el tabaquismo la mujer adopta una forma diferente de adicción, determinada por necesidades psicológicas y sociales que van más allá de la pura dependencia física a la sustancia. "Las mujeres tienen mayores dificultades para dejar de fumar que los hombres, porque su adicción al tabaco está menos vinculada a la dependencia de la nicotina que a factores psicosociales derivados del hábito de fumar", sugiere un estudio realizado por el Instituto Nacional de Abuso de Drogas de Estados Unidos.[18] El informe explica que los factores adicionales serían la causa de que las mujeres sientan mayor alivio del síndrome de abstinencia cuando fuman un cigarrillo. De ser así, existiría una razón más para que las jóvenes no se iniciaran en el uso de una sustancia tan dañina; sin embargo, resulta fácil para ellas caer en la tentación, dada la importancia que adquieren los modelos sociales de comportamiento, el ambiente de permisividad y la elevada disponibilidad del tabaco.

Aunque escapa a los propósitos de este libro, es importante considerar algunos efectos del tabaco en la salud:[19]

A corto plazo

- Alteraciones en la conciencia y la capacidad para percibir.
- Enojo, hostilidad, agresión y cambios en el estado de ánimo.
- Insomnio.

- Mareo y vértigo.
- Vómito.
- Complicaciones circulatorias.
- Elevación del pulso.
- Aumento de la presión arterial.
- Taquicardia y arritmias cardiacas.

A largo plazo

- Sentimientos de frustración.
- Irritabilidad, ira, ansiedad.
- Dificultades para concentrarse.
- Aumento o disminución en la frecuencia cardiaca. Lesiones cardiacas.
- Aumento de la eliminación urinaria.
- Enfermedades y complicaciones cardiovasculares.
- Enfermedades pulmonares.
- Úlceras y problemas digestivos.
- Aparición de diversos tipos de cáncer: de pulmón, boca, esófago, estómago y otros.
- Menopausia precoz.
- Reducción de la fertilidad, en los hombres.

Las cifras hablan por sí solas:

- Cada día mueren en el mundo 9 615 personas a causa de enfermedades generadas por el consumo de tabaco.
- En México fallecen 118 personas diariamente por la misma razón. Entre las principales causas de mortalidad en el país, 44% se origina en padecimientos ocasionados por el consumo de tabaco.
- En México, 13 millones de personas son adictas al taba-

co, y casi 50 millones padecen sus efectos, como fumadores pasivos.

- La prevalencia en el consumo de tabaco en la población mexicana entre 12 y 65 años se incrementó 1,7% en cinco años: pasó de 26% en 1993 a 27,7% en 1998. Casi la mitad del consumo se ubica entre los jóvenes de 18 a 29 años.
- En todo el mundo, la mitad de los 300 millones de jóvenes que fuman regularmente desde la adolescencia y lo hacen toda su vida, eventualmente morirán a consecuencia del tabaco.
- Alrededor de 30% de los adolescentes mexicanos admiten haber fumado. Cerca de un millón de menores son fumadores.
- Se venden cigarrillos en 40% de las escuelas secundarias de México, a pesar de estar legalmente prohibidos.[20]

Las dietas

Por la obsesión de estar delgadas, muchas jóvenes en la actualidad se someten a regímenes alimenticios sumamente nocivos para la salud, muchos de los cuales incluyen la toma de anfetaminas para reducir el apetito, con el consiguiente riesgo de caer en una adicción.

El doctor Montignac explica que los llamados quita-hambre "son compuestos de anfetaminas que quitan el apetito y que al mismo tiempo son enormemente psicoestimulantes, por lo que no debe sorprendernos comprobar que provocan un estado de excitación que conduce a trastornos del sueño, así como a una disminución de la autocrítica y del autocontrol. Con frecuencia, al suspender el tratamiento, aparece una depresión nerviosa que puede llegar al suicidio, pero su mayor peligro es que conduce a una fuerte dependencia, origen a su vez de toxicomanías".[21]

La dependencia de anfetaminas se ilustra con gran realismo en *Réquiem por un sueño*, película basada en una novela del escritor neoyorquino Hubert Selby Jr. y dirigida por Darren Aronofsky en 2001:

> Sara Goldfarb es adicta a la televisión. Decide participar en un concurso y, como sabe que la pantalla engorda cuando menos ocho kilos, acude a una clínica de adelgazamiento. Pronto comienza a perder peso, pero experimenta la necesidad de ingerir más pastillas. Decide hablar por teléfono con la recepcionista de la clínica en cuestión, quien de manera irresponsable le aumenta la dosis de las anfetaminas que le recetaron para quitarle el apetito. Empieza a ver "todo revuelto, muy confuso" y sufre alucinaciones terribles.
>
> Harry, el hijo, un adicto a distintas sustancias, ya le había advertido sobre el peligro que traen consigo estas sustancias de generar dependencia. Cuando vende el televisor de su madre con el fin de comprar cocaína para inyectarse, ella rescata el aparato y lo justifica, diciendo que no avisará a la policía porque Harry es el único hijo que tiene.
>
> La degradación a que llegan todos los personajes es terrible. Con el fin de obtener dinero y comprar droga, Harry le pide a su novia, Marion, que tenga relaciones sexuales con un pretendiente al que ella detesta. Al borde de la **psicosis**, Sara es ingresada en un hospital psiquiátrico donde le aplican choques eléctricos. Marion

cae hasta lo más bajo al entregarse a un traficante afroamericano a cambio de la sustancia. Harry pierde un brazo y termina en la cárcel por traficar.

Ni qué decir sobre las mujeres con problemas emocionales. Además del peligro de generar dependencia, también presentan otro tipo de conductas autodestructivas que derivan en dos desórdenes, por desgracia cada vez más comunes hoy día, la **anorexia** y la **bulimia**.[22] "Puede existir una asociación entre la bulimia y la utilización de sustancias. Asimismo, las mujeres bulímicas y las mujeres dependientes del alcohol pueden compartir ciertas características: la depresión, la impulsividad, la ansiedad, el aislamiento social, la incidencia de violencia sexual en la infancia, la baja autoestima".[23]

Razones que aducen los jóvenes para usar alcohol y drogas ilícitas

Cuando acuden a la terapia o los grupos de ayuda, los muchachos tratan de explicar la manera como se iniciaron en el consumo de cierta sustancia. Si para los adultos caer en cuenta de por qué se destruyeron a sí mismos de esa forma resulta doloroso y difícil de aceptar, el autoanálisis que deben hacer los jóvenes para comprender cómo llegaron hasta ahí no resulta nada fácil. En seguida se enlistan las seis justificaciones más frecuentes que esgrimen los jóvenes cuando se les cuestiona sobre el uso o abuso de alcohol y drogas:[24]

a) *Para sentir que están creciendo*. Los niños suelen imitar a los adultos. Para ellos, crecer significa ser libre, tomar sus propias decisiones y beber y comer lo que les apetezca. Los jóvenes de hoy crecen de manera precoz, a un ritmo mucho más acelerado que antes. Los mensajes que aparecen en los medios masivos y la influencia de sus compañeros los llevan a comportarse como adultos antes de tiempo. En cuanto al medio familiar, si los padres preguntaran a sus hijos qué clase de mensajes les envían con respecto al abuso de sustancias, probablemente quedarían sorprendidos con sus respuestas. Como se ha visto, los adultos no constituyen, ni con mucho, un modelo digno de imitar, ni un ejemplo de sobriedad o cordura.

b) *Para ser aceptados y pertenecer a un grupo.* Los niños y jóvenes desean agradar a los otros. Algunas veces, los miembros del grupo al que ellos quieren pertenecer fuman cigarrillos, beben alcohol y usan inhalables o marihuana. Los chicos se inician en estos consumos para pertenecer al grupo, superar su ansiedad, cambiar su personalidad o adquirir el coraje necesario para relacionarse con los demás. Los muchachos aluden con frecuencia a este patrón de comportamiento que ellos definen como "normal", porque "todos lo hacen". Y es probable que esto ocurra dentro del pequeño entorno donde se desenvuelven: se ha visto que quienes arrastran conflictos emocionales desde la infancia tienden a escoger de entre sus compañeros o amigos a aquellos que comparten esta carencia. Así, los jóvenes que gozan de más libertad en casa, enfrentan problemas de desempeño en la escuela, manifiestan gran inquietud por probar cosas nuevas, cuentan con un espíritu más rebelde y constituyen el grupo que corre mayor riesgo de experimentar con alcohol y sustancias ilícitas. Si bien, no todo aquel que prueba desarrolla una adicción, incursionar en el mundo de las drogas se asemeja a jugar a la ruleta rusa con los ojos vendados.

c) *Para relajarse y sentirse bien.* Ciertamente, en esta época no resulta fácil ser joven. Muchos factores del ambiente hacen más difícil para los muchachos mantenerse sanos física y psicológicamente: cambios en la estructura familiar, presiones económicas, gran cantidad de mensajes e influencias que reciben a través de los medios, menor esperanza en el futuro, mayor violencia e inseguridad, más embarazos de adolescentes, acceso fácil a las sustancias, enfermedades sexuales y sida, falta de modelos dignos de ser imitados... Por estas y otras condicionantes sociales, los muchachos buscan el efecto mágico de las sustancias, el escape a un mundo maravilloso donde evitan pensar y sentir. El alcohol y las demás drogas ayudan a sobrellevar el sufrimiento moral y físico de manera inmediata. No es posible hacer caso omiso del hecho de que los efectos son placenteros; esto es una realidad. Los problemas sobrevienen después.

d) *Para tomar riesgos y rebelarse.* Como parte del crecimiento, todos los niños necesitan aprender a enfrentar riesgos. Inconscientemente, al aventurarse, tratan de llamar la atención de los adultos para hacerles ver su desacuerdo con ellos, su deseo de autoafirmarse como personas independientes y probar nuevas formas de vivir. Cierto oposicionismo y rebelión ante los adultos son necesarios y deseables en la adolescencia, pues en esta etapa los chicos están intentando encontrar un camino propio para seguir adelante con su vida. Desde luego, reglas muy rígidas y padres inflexibles propiciarán una rebelión a ultranza en el adolescente, un factor que puede convertirse en el disparador de una conducta adictiva.

e) *Para satisfacer su curiosidad.* Esta característica innata en algunos muchachos debe ser vigilada de cerca por los padres. La información sobre los efectos dañinos de las drogas y el alcohol puede contribuir a saciar las ganas de saber de algunos, pero no siempre es suficiente para los más inquietos. Adquieren importancia, sobre todo, el grupo de amigos y el ambiente social donde se desenvuelven.

f) *Por creer en los mitos y los efectos mágicos derivados de las drogas.* Muchos jóvenes están seguros de que, usándolas, aumentará su capacidad para realizar un trabajo, su creatividad aflorará al máximo, sus dotes intelectuales se potenciarán y su desempeño sexual será fabuloso. Comúnmente, en el caso de los alucinógenos, las personas justifican el consumo a partir de su necesidad de vivir experiencias místicas nuevas. Los mitos y realidades de la adicción se explican en los capítulos sobre alcoholismo y farmacodependencia.

Riesgos derivados del consumo de alcohol y otras drogas

Hay que decirlo, la mayoría de los adolescentes mexicanos no presenta problemas con su manera de beber. El promedio nacional de quienes manifiestan síntomas que sugieren dependencia es de 3,2%.[25] Esto ocurre porque las secuelas y el deterioro ocasionados por el alcoholismo aparecen de siete a diez años después de iniciado el consumo, que es cuando los enfermos o sus familiares suelen pedir ayuda fuera del ámbito familiar. En el caso de los adictos a sustancias ilícitas, el proceso de deterioro se presenta más rápidamente, pero aún así transcurren varios años antes de que busquen una solución a su mal.

"Con el alcohol te atreves a hacer cosas que sin él no harías". "Toma tal cerveza, así serás *cool*". "Si bebes, podrás relacionarte con chicas tan bellas como ésta"... De manera sutil, infinidad de mensajes publicitarios inspiran a los jóvenes a experimentar conductas de riesgo. Caen, además, en el terreno fértil de un ambiente cada vez más abierto, donde se tolera y hasta se promueve el uso de bebidas alcohólicas.

Cuando los jóvenes se drogan, no sólo resulta preocupante el hecho de que puedan volverse adictos a la sustancia, sino, además, la gran cantidad de riesgos que corren cuando se encuentran intoxicados, como pueden ser:

Accidentes

> Daniel [21 años]: Sufrí varios accidentes por consumir. En uno de ellos me destrozaron la cara por completo. Llevo cinco cirugías reconstructivas y ocho plásticas. Tengo el tabique nasal dañado. Me volteé en el automóvil y me fracturé una vértebra; por poco más hubiera quedado paralítico. Una madrugada desperté en una carretera, golpeado y desnudo; no recordaba lo que había sucedido.

Al abrir los periódicos los fines de semana, con frecuencia encontramos noticias sobre accidentes que involucran a muchachos de distintas edades. En efecto los jóvenes son más susceptibles a morir por esta causa que la población adulta. 10% del total de las defunciones ocurridas en accidentes de vehículos de motor en México durante 1994, correspondía a víctimas entre 15 y 19 años. La proporción aumentaba a 13% entre los 20 y los 24 años.

Las estadísticas muestran que los accidentes en los cuales el alcohol está presente se relacionan con mayor frecuencia con la ingesta aguda que con el consumo crónico, pues únicamente 18% de quienes sufrieron un accidente automovilístico bajo la influencia de esta sustancia eran alcohólicos, lo que confirma que la forma común de consumir alcohol —no a diario, sino en grandes cantidades por ocasión de consumo— propicia este tipo de percances.

La inconsciencia propia de la edad y la escasa noción de peligro llevan a los jóvenes a manejar tras haber ingerido alcohol o a subirse a un auto con un conductor alcoholizado. Según la última Encuesta de Estudiantes de Enseñanza Media Superior, 9% de los menores de entre 12 y 17 años había conducido un auto en estado etílico; 16% mencionó haber viajado en el vehículo de un muchacho que había bebido demasiado. Igualmente, 1% de los adolescentes de entre 12 y 17 años que suelen consumir grandes cantidades de alcohol por ocasión, reportó haber sufrido un accidente asociado con su forma de beber.

Problemas con la justicia

Después de estar bailando varias horas en la discoteca con sus amigos, a Enrique [19 años] se le hizo fácil comprar una dosis extra de cocaína y llevarla a su casa para consumirla al día siguiente. No era la primera vez que lo hacía. Eran más de las cuatro de la mañana y se le hizo fácil, en el trayecto, pasar de largo los semáforos en rojo. No era la primera vez que lo hacía. Una patrulla le ordenó detenerse, pero él hizo caso omiso y decidió acelerar. Tras una corta persecución, la patrulla logró cortarle el paso y no le quedó más remedio que detenerse. Al bajarse del automóvil, confrontó a los policías, quienes rápidamente se percataron de su intoxicación. Empezaron a esculcar en sus bolsillos. Cuando descubrieron la droga, lo golpearon hasta dejarlo inconsciente. Despertó en una celda de la policía, con la boca sangrante y golpes en todo el cuerpo. Hasta ahí lo fueron a rescatar sus padres. La policía los llamó para decirles que habían encontrado a su hijo vendiendo cocaína y que debían pagar una eleveda multa, si no querían que el muchacho quedara preso y apareciera en los diarios señalado como narcotraficante.

El incidente que vivió Enrique es usual. Miles de jóvenes que manejan embriagados —ya no se diga si usan drogas ilegales— se exponen a ser detenidos o extorsionados por oficiales corruptos. En 1991, por ejemplo, 5% de los estudiantes encuestados fueron detenidos o amenazados por la policía.

Veamos el testimonio de Marcela:

> En varias ocasiones fui detenida por las autoridades y en todas llegué a alcanzar fianza a cambio de mi libertad. Fue así como, estando fichada por las autoridades, un día, bajo los efectos de la droga, quise asaltar a una persona. Entonces fui aprehendida y remitida al Centro de Readaptación Femenil (cárcel de mujeres), donde pasé muchísimos meses encerrada por la sentencia del jurado que la sociedad me había destinado, para dictarme la condena que tenía que cumplir. Después, tuve que enfrentarme a un jurado más cruel, como lo fueron

> las compañeras del reclusorio, donde se sentía el odio y la amargura en todas ellas. Viviendo las más amargas experiencias de la vida y producto de mi vida ingobernable, llegué a tener problemas bastante fuertes con algunas de ellas.[26]

La legislación mexicana prohíbe la comercialización de drogas. Cuando las autoridades atrapan por primera vez a un muchacho que porta, por ejemplo, la cantidad de marihuana necesaria para su consumo inmediato, queda en libertad. Si reincide, la policía lo envía al reclusorio o a los Consejos Tutelares, en el caso de ser menor de 18 años. Según Marcelo Ebrard,[27] jefe de la Policía del Distrito Federal, ésta es una limitación que impone la Ley a las autoridades porque, como han podido constatar en los alrededores de algunas secundarias y preparatorias ubicadas en diferentes delegaciones de la capital, los vendedores de droga sólo llevan consigo el equivalente a una dosis. Una vez entregada la sustancia a su comprador, se reabastecen a través de un vehículo que da vueltas constantemente. Si llegado el momento, la policía atrapara al *dealer*, únicamente encontraría una dosis en su poder, con lo cual las autoridades estarían atadas de manos para actuar en su contra. Esta hábil forma de distribución se conoce como "narcotráfico hormiga".

Existen varias iniciativas enviadas al Congreso para cambiar la legislación en materia de drogadicción. Por el momento, en México la penalidad por traficar consiste en 10 a 40 años como máximo. Para los menores infractores —a los que se les utiliza cada vez con mayor frecuencia como distribuidores de sustancias—, la sanción mayor es de cinco años.

Aunque la legislación cambie, la batalla contra el narcotráfico está perdida de antemano. Por eso, en cuanto a adicciones, más que apostar por reducir la oferta, la prevención será más efectiva si se orienta a la demanda, a tratar de fortalecer la capacidad de decisión y el cuidado de sí mismos de los jóvenes.

Delincuencia

> Ricardo: Viviendo un tiempo en el hogar, como se dice sin oficio ni beneficio, y por la necesidad que tenía de la droga, comencé a robarme algunas cosas de valor de la casa, para venderlas y así tener dinero para comprar más drogas. Al darse cuenta mi madre de lo que estaba haciendo, me llamó la atención con coraje y desesperación y escondió todas las cosas de valor que tenía para que no me las robara. No me quedó más remedio, salí a la calle para reunirme con algunos amigos del barrio; al decirles que no tenía dinero para comprar droga, me conectaron con algunas personas que traían marihuana de otra localidad. Fue así como me inicié en la venta de drogas, pues sabía que realizando esta actividad, fácilmente podría obtener la droga que necesitaba.[28]

El consumo frecuente de una sustancia acarrea un alto costo material. Para costearse la adicción, el muchacho dependiente puede convertirse en un traficante en pequeño que introduce las drogas en las escuelas, universidades o lugares de diversión. De esta situación se derivan una serie de riesgos, como ser chantajeado y usado por los narcotraficantes o ser aprehendido por la policía y llegar incluso a pagar una condena por el tráfico de sustancias.

Igualmente, se da la posibilidad de que el adicto se convierta en poliusuario, o consumidor de diferentes tipos de drogas. De esta manera, entrará en un mundo muy competido entre las distintas redes del narcotráfico, que se especializan y se dividen el mercado para lograr mayor penetración en él.

El robo en pequeña escala, tomar un automóvil sin permiso del dueño, golpear o herir a personas, forzar cerraduras y vender drogas pueden convertirse en prácticas comunes entre jóvenes adictos de escasos recursos. Por la necesidad de vender lo robado y adquirir mercancía, los muchachos comienzan a relacionarse con delincuentes y pequeños traficantes, de quienes aprenden todo tipo de artimañas y trampas. En casos extremos, caen en conductas de riesgo más peligrosas, como el asalto a mano armada y el homicidio.

Relaciones sexuales de alto riesgo

Usualmente, los jóvenes mantienen relaciones sexuales bajo los efectos del alcohol u otras drogas. Según la última Encuesta de Estudiantes de Enseñanza Media Superior en México, 23% de los adolescentes habían incurrido en esta conducta de riesgo. Como consecuencia de tener relaciones sexuales sin protección, han aumentado los embarazos de adolescentes y el contagio de enfermedades de transmisión sexual.

Violencia

El fenómeno de la violencia intrafamiliar se estudia recientemente en México. La razón probable por la que no se había abordado en el pasado se debe "a una falsa concepción social de la familia como no-violenta", cuando, de acuerdo con los análisis realizados en el Instituto Nacional de Salud Pública, "el hogar es el principal sitio de ocurrencia de actos violentos en contra de las mujeres y los niños". Como se ha visto, un comportamiento violento del padre puede derivar, con el paso del tiempo, en una conducta similar por parte de los hijos.

Desde la adolescencia, los muchachos se ven envueltos en episodios de violencia provocados por los conflictos personales que han vivido desde pequeños o por encontrarse bajo los efectos del alcohol u otra droga. En este sentido, las cifras de 1993 indican que el grupo de edad comprendido entre los 12 y los 18 años tuvo la mayor prevalencia respecto a los problemas con la familia (21,8%) y con los amigos (11,1%).

Diferentes estudios realizados en servicios de urgencias muestran que "los pacientes que acuden a estos servicios por asaltos y riñas presentan una elevada concentración de alcohol en la sangre, lo que aumenta el riesgo de padecer traumatismos. Muchos de estos pacientes consumen alcohol en grandes cantidades y pocos episodios".

En cuanto a la violencia de tipo sexual, existe evidencia de su relación con el consumo de drogas. Según información proveniente de la Encuesta Nacional de Uso de Drogas en la Comunidad Escolar en México (1991), 31,4% de los estudiantes que reportaron haber perpetrado una agresión de este tipo habían consumido drogas alguna vez, 24% de los estudiantes que sobrevivieron a un abuso sexual usaban drogas y 32,3% de los perpetradores sobrevivientes consumían, en comparación con 8,2% de quienes no habían sufrido ni ejecutado agresión alguna.

Muerte

Por contar con un poder adquisitivo bajo o por ser víctimas de comerciantes sin escrúpulos, los jóvenes consumen alcohol adulterado o sustancias con mezclas explosivas que pueden ser letales. Existe un subregistro importante sobre el consumo de alcohol *per cápita* en México, donde la población compra la sustancia a un bajo costo sin ningún control sanitario ni fiscal. La industria alcoholera legal estima que la producción ilegal es tan elevada que ya alcanzó niveles casi similares a los suyos. El consumo de bebidas sin control sanitario ha provocado muertes, por ejemplo en el estado de Morelos, y dejado graves secuelas en los sobrevivientes.

Existe otro peligro. Los intentos de suicidio son dos veces más frecuentes entre los bebedores compulsivos: 48% de las tentativas que se registraron en 1998 las llevaron a cabo jóvenes de entre 15 y 24 años de edad y 6%, menores de 15 años.[29] A pesar de que no existe información sobre en cuántos de dichos intentos de suicidio estuvieron involucrados el alcohol o las drogas, estos datos reflejan el sufrimiento y la desesperanza en que se hallan muchos jóvenes.

En lo que se refiere a las drogas, la ocurrencia de muertes o incapacidades mentales ocasionadas por sobredosis resulta desgraciadamente cada vez más frecuente. La diversificación de la oferta de pastillas con mezclas explosivas y el consumo añadido de alcohol por parte de los jóvenes, conllevan gran riesgo de muerte para ellos. Aunque la información sobre las causas de los fallecimientos no es tan precisa o se maquilla, a menudo surgen noticias provenientes de otros países, como el deceso de dos jóvenes que consumieron éxtasis en una fiesta multitudinaria que tuvo lugar en el estadio Martín Cárpena, en Málaga, España.

El mundo del espectáculo nos brinda, a cada momento, ejemplos de famosos que fallecen por haber ingerido una sobredosis. Recientemente, el bajista del popular grupo de *rock* británico *The Who*, John Entwhistle, apareció muerto en un hotel de Las Vegas a consecuencia de una sobredosis de cocaína. Como se ha visto, pagar un precio alto por la droga no asegura que, al consumirla, la persona esté libre de sufrir un trauma y la muerte; no es posible conocer la cantidad y el tipo de sustancias que utilizaron los productores de droga al "cortarla" (mezclarla para hacerla más rentable) ni cuál dosis puede resultar letal. A esto hay que sumar que, debido a los desagradables efectos inherentes al síndrome de abstinencia, por suprimir ese dolor, un farmacodependiente puede olvidarse de tomar las precauciones necesarias en cuanto a la cantidad y frecuencia de uso.

Contraer enfermedades como VIH/sida y hepatitis

El Síndrome de Inmunodeficiencia Adquirida, también llamado Virus de Inmunodeficiencia Humana, es una forma de deficiencia inmunológica que produce infecciones por gérmenes oportunistas y tumores, y se ha convertido en la enfermedad más devastadora que haya afrontado la humanidad en toda su historia. Representa la cuarta causa de mortalidad en todo el mundo.

Tras 20 años de epidemia, millones de jóvenes en el mundo saben muy poco, si acaso saben algo, acerca de este mal. Se calcula que en Latinoamérica y el Caribe —una región que está sufriendo diversas epidemias—, en diciembre de 2001 había 1,8 millones de adultos y niños que vivían con el VIH. "Pero las tasas nacionales de prevalencia del VIH relativamente bajas en la mayor parte de los países de América del Sur y Central ocultan el hecho de que la epidemia ya se ha instalado firmemente entre grupos de población específicos".[30] Lamentablemente, los jóvenes consumidores de drogas inyectables y los adolescentes y adultos que mantienen relaciones —homosexuales y heterosexuales— con sujetos infectados con el VIH forman parte de dichos grupos.

El VIH y la hepatitis constituyen algunas de las complicaciones provocadas por el abuso de sustancias inyectables. La vía de entrada, en estos casos, es intravenosa, en el momento en que los farmacodependientes comparten los instrumentos para aplicarse la sustancia. Por eso, los sujetos venoadictos forman parte de uno de los subgrupos de población catalogados como de alto riesgo. Afortunadamente, en países de Latinoamérica todavía no es tan frecuente hallar estos tipos de infecciones. Sin embargo, no hay que descuidar este aspecto porque los consumidores de opiáceos, como la heroína y la codeína (administradas por vía intravenosa), han aumentado, sobre todo en la región norte. La cocaína inyectada está catalogada también como una droga de abuso en incremento.

Para las mujeres, el abuso de sustancias complica el riesgo de contraer sida, especialmente en aquellas que usan drogas inyectables, porque esta enfermedad se transmite con frecuencia a través de agujas y de otros artículos que pasan de mano en mano, como jeringas, tapones de algodón, agua de enjuague y cucharas o recipientes para cocinar drogas. Además, bajo la influencia de drogas ilícitas y alcohol, las mujeres tienen relaciones sexuales sin protección, lo cual también aumenta su riesgo de contraer o transmitir el VIH. En caso de embarazo de las muchachas portadoras del virus, la situación se complica aun más, pues, si el feto no recibe las vacunas que lo inmunizan contra la enfermedad cuando se encuentra en el vientre de la madre, adquirirá la característica de seropositivo al momento de nacer.

Hasta agosto de 1998, en México se habían reportado 5 134 casos de sida en mujeres, 16,3% del total de los casos registrados. La tendencia en el aumento de la enfermedad parece afectarlas más a ellas, pues si en 1988 había 30 casos nuevos en hombres por cada uno de mujer, para 1997 esa razón era de seis a uno. Con respecto a la transmisión de VIH por vía intravenosa, existen 449 casos, 97,6% de los cuales corresponden a los hombres, por lo cual ellas corren un riesgo mayor de infectarse que ellos en el ambiente de las drogas inyectables, donde las parejas femeninas son escasas.[31]

Pérdida del horizonte de vida

Villarreal ha colaborado como asesor de un proyecto del Instituto Tecnológico y de Estudios Superiores de Monterrey enfocado a lograr que los jóvenes no consuman drogas, pues, en caso contrario, se arriesgan a perder lo que el experto llama "horizonte de vida". Al respecto afirma: "En la mayoría de las preparatorias o universidades, cuando atrapan a un muchacho usando sustancias ilícitas, lo expulsan. Estoy de acuerdo en que los jóvenes deben responsabilizarse de sus actos, pero no a ese precio. ¿Cuándo van a levantar cabeza después de un golpe así? Los colegios y las universidades deben establecer un compromiso con los muchachos.

"En 2001, la Secretaría de Educación Pública reportó que, de cada 100 jóvenes que ingresan a la universidad, pública o privada, se gradúan 28. El resto abandona la carrera no por incapacidad, sino porque los adultos no les estamos dando opciones de crecimiento. Veo en los jóvenes un sentimiento de no pertenencia, de necesitar más de lo que les ofrecen sus padres o su familia. La mayoría inicia una carrera sin contar con un proyecto de vida. ¿Qué les estamos enseñando, cuál es nuestra propuesta de sociedad?", —se pregunta el experto.

Como respuesta, veamos de nuevo la opinión de estudiantes sobre un tema que los afecta directamente:

- "Se necesita un mejor nivel académico para estar bien preparados y enfrentar mejor los problemas".
- "Realmente o no estamos preparados, o falta que las empresas y las escuelas nos abran sus puertas".
- "La educación en México no está pensada para preparar a la gente, sino para que te quedes atrasado".
- "El gobierno es el que te mete ideas, te dicen que eres el proyecto del mañana y ¡toma que eres el proyecto del mañana!; el gobierno te echa la responsabilidad, pero a la hora de la hora te cierra las puertas".[32]

3 La familia, para bien o para mal

Al hombre moderno su familia le aparece, por distintos conceptos, como el único mundo humano y libre que todavía le queda. En su marco le es todavía posible configurar el mundo y la vida. Por eso experimenta una invencible tendencia hacia el hogar, aunque sea éste de nuevo tipo.

H. Groothoff, pedagogo alemán

Aunque esté cambiando y perdiendo algunas de sus funciones tradicionales, la familia constituye uno de los pocos fenómenos universales de la sociedad humana. Esta institución desempeña dos funciones principales: antes que nada, "interviene como mediadora entre individuo y colectividad, como un puente por el que el individuo pasa para incorporarse a la vida social". En segundo lugar, desde el punto de vista del individuo, la familia colma sus necesidades afectivas, poniéndolo "en disposición de cumplir sin frustraciones todas sus tareas sociales impersonales. (...) Por ello, la familia actúa como institución estabilizadora del sistema social".[1]

En México —al mismo tiempo que en el resto del mundo, aunque con características distintivas—, la familia pasa por una etapa de transición y ajuste. A causa de los cambios culturales, las carencias económicas, la necesidad de la madre de trabajar fuera del hogar, los hijos que deben aprender a vivir sin ella y viceversa, el orden de cosas ha cambiado de manera radical. "Quienes trabajamos en el campo de las adicciones no debemos seguir pensando en el prototipo de familia que existía hace unos años; de lo contrario, estaremos fuera de la realidad", afirma el doctor García, quien está muy familiarizado con el mundo de los muchachos gracias a la labor que realiza en los Centros de Integración Juvenil.

Ed Lacey alude también a la transformación que enfrenta el sistema familiar, más fragmentado que antes: "Ahora se vive hacia afuera, tendemos a no acercarnos, a vernos cada vez menos. Las distancias, la presión económica, la falta de tiempo, la incertidumbre ante el futuro, la televisión, la política, la inseguridad... todo esto nos influye, porque la familia no se encuentra aislada de la sociedad, es producto de ella".

No obstante los cambios, y aunque disfuncional en muchos casos, la familia todavía es identificada como un grupo de pertenencia. Abundantes estudios evidencian que los padres siguen siendo la influencia más importante en la vida de sus hijos.

Crisis en la familia

En el seno familiar, el individuo desarrolla el sentido ético y de responsabilidad consigo mismo y con el mundo, la autonomía personal y el autoconcepto, porque la familia es protección, crecimiento, ilusión de futuro, acopio de fuerzas para la vida, consuelo en la desazón.

Cuando se aparta de su función como estabilizadora del sistema, la familia constituye un caldo de cultivo de diversos problemas sociales, entre ellos: los niños de la calle, el vandalismo, la prostitución, el alcoholismo y la drogadicción. En este sentido, la familia denota inquietud, desesperanza, sinsabores, ruido, violencia, pena, debilidad, insomnio, oscuridad, desesperación de estar vivo.

Con base en su práctica profesional, Rogelio Villarreal ha podido identificar, a grandes rasgos, tres modelos familiares, dos de los cuales propician la existencia de jóvenes conflictivos o adictos:

- *La familia permisiva*. El padre es blando y se derrota fácilmente: "Ésta es su pobre casa", "a final de cuentas, qué más da". Critica todo: "El gobierno tiene la culpa", "el mundo está mal". Todo lo suyo está justificado, la mediocridad, la falta de ganas de vivir. No establece límites y su comunicación es indirecta y encubierta. Tarde o temprano, si no busca ayuda profesional, caerá en una depresión o en el alcoholismo. El hijo se siente merecedor de todo. Cuando no le queda otro remedio más que trabajar, lo hace únicamente para sacar el día, para irla pasando. Como el padre, su comportamiento será mediocre o caerá en el alcoholismo o la farmacodependencia.

- *La familia autoritaria*. El padre, un *superman*, toma todas las decisiones, tiene éxito en lo que emprende. Enojado y hostil todo el tiempo, demanda atención; a fin de cuentas lo deben cuidar, complacer y tener contento. Es un tipo de papel que se da mucho entre los latinoamericanos. La madre es sumisa, sobreprotectora, indulgente, sin energía, el paño de lágrimas de la casa. Como se siente utilizado y amenazado, y vive en conflicto con la autoridad, el hijo está resentido. A causa del enojo que ha reprimido desde pequeño por el comportamiento agresivo del padre, con frecuencia se convierte en un líder negativo en la escuela o la comunidad, pues descarga su rabia con los más débiles. Constituye un candidato a consumir drogas, cometer actos delictivos y terminar en la cárcel. Dentro de la psicología, esta patología producto de la sociedad moderna se ha denominado "conducta asocial". Sujetos así colman las cárceles: si desean sexo, violan; si quieren dinero, roban; si se enfurecen, golpean o hasta matan. La película *La naranja mecánica* describe este comportamiento cada vez más frecuente y peligroso. Quien lo padece carece de remordimiento, de sentido de culpa, de conciencia ante lo que ocurre.
- *La familia equilibrada*. Está formada por un padre que lucha todos los días, reconoce sus errores, comparte sus objetivos y metas con la familia. Le importa y escucha la opinión de todos, expresa sus sentimientos ("tuve un mal día", "me preocupa tal situación"), sabe hablar y demorar un gusto o la satisfacción de una necesidad. No es todo juicio, también reconoce los actos de los demás ("qué bien lo hiciste") y alienta la honestidad. La comu-

nicación familiar es fluida, todos los miembros toman parte. El hijo sabe cuánto vale y que su opinión importa a todos. Crecerá como líder positivo, independiente, capaz de afrontar los conflictos y con un alto concepto de sí mismo.

"Hay que volver a las bases, fortalecer a la pareja y los vínculos familiares. La respuesta para evitar las adicciones proviene de la familia —asegura Villarreal—. La escuela no sólo debe abarcar a niños y jóvenes, los padres también necesitamos educación. Estamos neuróticos, pasamos más tiempo fuera que dentro de casa. A nuestra llegada, por la noche, en vez de sentarnos a conversar y compartir las emociones del día, sólo se nos ocurre mandar, imponer nuestras reglas. Tiempo después, cuando nos damos cuenta y decidimos pasar el fin de semana con nuestros hijos, nos llevamos la sorpresa de que sus planes no encajan con los nuestros. Los padres necesitamos cambiar, si deseamos que los asuntos familiares y sociales comiencen a marchar mejor".

Una familia de tantas

Con sólo 16 años, Carol consume cocaína pura y otras drogas desde hace tiempo. Aparentemente no tiene problemas de ningún tipo: ocupa el tercer lugar en su clase; como hija única, nada le falta. Robert Hudson, su padre, es un hombre de éxito: dirige la Oficina Nacional de Control de Drogas de Estados Unidos. Eso sí, al llegar a casa después del trabajo, se bebe tres vasos de whisky uno tras otro. ¿La madre? Sabe que su hija consume drogas desde hace seis meses, pero no se lo cuenta al marido.

Una noche, cuando Carol y sus amigos están drogándose, tras probar "algo nuevo" uno de ellos cae en coma. Al intentar abandonarlo a las puertas de una clínica, son detectados por una patrulla y pasan una noche en la cárcel. Después de rescatar a su hija, la madre convence al esposo de que no reprenda a Carol; a fin de cuentas, ella misma también probó drogas en su juventud y "una noche en la cárcel es suficiente castigo".

Éste es el comienzo del *via crucis* de la protagonista de *Traffic*, una película que sobrecogió a la audiencia por su crudeza. Para conseguir drogas, Carol roba joyas, una cámara de video y dinero de sus padres. Como esto no basta porque no hay cantidad que alcance para saciar su necesidad de heroína, la chica se prostituye y termina en un hotel de mala muerte, donde Hudson la encuentra totalmente dopada.

Hudson rechaza un ascenso importante en su carrera para ayudar a su hija a rehabilitarse. Al final, vemos a Carol, en una terapia de grupo, declarar ante sus compañeros: "Sabes que tienes miedo y que, si lo admites, la gente pensará que eres débil o no les agradarás. Creo que estoy enojada por muchas cosas, pero no sé cuáles. Creemos que somos invencibles". Con un poco de suerte, a partir de ahí su vida empezará a cambiar, sobre todo porque ahora sus padres estarán a su lado para apoyarla.

¿Por qué nuestro hijo? Suele ser la primera pregunta que se hacen los padres al saber que su "niño" bebe alcohol, probó o ha estado usando drogas durante cierto tiempo. No existe una respuesta a esta pregunta. Por lo menos, una sola respuesta. Los motivos que llevan a los jóvenes a usar o abusar del alcohol y de las sustancias psicoactivas son múltiples.

Hoy día la adicción se considera como una enfermedad familiar; por eso, cuando alguno de los miembros la experimenta, necesariamente tendrán que recuperarse todos juntos. Con frecuencia, los padres son los últimos en enterarse del padecimiento de su retoño. Al saberlo, sienten que se les viene el mundo encima, y su primera reacción consiste en ocultar el problema. "Si les dicen que su hijo enfermó de cáncer, buscan ayuda de inmediato y consultan al mejor especialista posible. En cambio, al advertir que su hijo se droga o toma alcohol con asiduidad, evaden el tema", asegura Lacey. Con esta actitud de no enfrentamiento, los padres están propiciando que el consumo continúe y los daños aumenten.

Existen familias químico-dependientes, donde uno o más miembros padecen la enfermedad y necesitan rehabilitarse y aprender a manejar esa realidad. De lo contrario, todos los involucrados desarrollan nuevas formas de enfrentamiento, adquieren fortalezas y empiezan a sobrevivir con esa inesperada situación. En vista de que se muestran incapaces de controlar la dependencia del hijo, los padres tratan de paliar las consecuencias y ponen un colchón para evitar el dolor de la caída. Fanny Feldman[2] menciona como un ejemplo de tal conducta aquel de los padres que envían una justificación a la escuela porque el muchacho no se presentó a un examen, a sabiendas de que escapó con los amigos o se encontraba bajo los efectos de las drogas. Otro caso frecuente de encubrimiento tiene lugar cuando los padres declaran ante las autoridades que eran ellos quienes manejaban el automóvil que su hijo chocó por conducir en estado de intoxicación. Con esto, únicamente logran que el muchacho deje de asumir las consecuencias de sus actos.

Ocurre también —asegura la entrevistada— que, si el hijo consume drogas, la vida empieza a girar en torno a él. Se le achacan todos los conflictos, es como el bote de basura adonde van a parar las quejas y las deficiencias de la relación familiar, con lo cual los demás miembros evitan ver sus propios errores. Inconscientemente, a la madre le permite sentirse útil o indispensable ("gracias a mí puede salvarse"), el padre culpa a otros (esposa, demás hijos, amigos) de la enfermedad de ese hijo, y los hermanos se zafan de sus responsabilidades y de afrontar su propia realidad. Los papeles familiares y los rituales cambian los horarios para comer o dormir, por ejemplo.

En su experiencia como terapeuta, Feldman se ha percatado de que, en general, la vida de las familias de adictos comprende múltiples crisis, que van desde los accidentes y hechos vergonzosos, hasta el retraimiento y el deterioro físico, mental y social. Como es lógico, el consumo de alcohol o drogas ilícitas entraña cierto grado de ruptura con las tradiciones predominantes en la sociedad y en la propia familia. De ahí, la probabilidad de que desde la etapa inicial de la adicción aparezcan crisis en un contexto donde los padres se sienten impotentes para solucionar el problema.

La familia disfuncional

La familia perfecta no existe. En las terapias con familiares de adictos, cuando los especialistas en adicciones comienzan a escudriñar para eliminar la capa superficial y bucean en el agua aparentemente calmada de las relaciones entre sus miembros, descubren que dichos núcleos son disfuncionales. Ante la dependencia al alcohol o a las drogas de uno de sus hijos, tales familias presentan, según cuenta Mari Carmen González,[3] un patrón de respuestas reconocibles:

a) *Niegan el problema*. Los padres no quieren saber nada al respecto; se engañan pensando que la adicción desaparecerá, que mañana el hijo estará bien. Mediante la negación, sólo logran posponer el momento de buscar ayuda, con el consiguiente empeoramiento de la situación porque, en la enfermedad de la adicción, el enfermo puede morir si no recibe tratamiento. En el pensamiento adictivo, la negación "no significa mentir, que es una distorsión intencional y consciente de los hechos o un ocultamiento de la verdad. El mentiroso sabe que está mintiendo. La negación del pensador adictivo no es ni consciente ni intencional, ya que es posible que crea sinceramente que está diciendo la verdad".[4] En este tipo de familias, se enseña a los hijos a no ver lo que ocurre en el interior del hogar. Si, por ejemplo, el padre llega alcoholizado y el niño pregunta si está borracho, la respuesta materna suele ser "no, viene cansado". Con esto, el pequeño empieza a dudar de sus percepciones y aprende a negar lo evidente. Por supuesto, cuanto más dolorosa resulta la realidad, mayor será la negación. Hay quien dice: "Mi hijo no es adicto, sólo ha consumido unas cuantas veces". Nadie puede ser poco o muy adicto. Se es adicto o no, y para toda la vida. En ocasiones, la negación toma la forma de un mecanismo de defensa llamado represión, mediante el cual la persona olvida lo que sucedió en el ambiente familiar adictivo de su infancia; aun más, olvida que lo olvidó. Con el paso de los años, a lo mejor en la edad adulta, corre el riesgo de repetir ese comportamiento. La hija de un alcohólico que se casa con un adicto, por ejemplo, revive con el marido los sentimientos que tenía guardados hacia su padre. A lo mejor, el día de mañana, si su hijo también se convierte en adicto, le cobrará lo que sufrió cuando era pequeña.

b) *Pretenden que no sienten.* En las familias disfuncionales los sentimientos no salen a flote; sus miembros no se permiten sentir. A los niños les dicen que no lloren porque eso implica debilidad, lo cual no corresponde a un hombre de verdad: "Los niños no deben llorar, si no, parecen mariquitas". A las niñas, cuando se enojan, las tachan de feas, de poco femeninas: "Con ese carácter, ¿quién te va a aguantar?; así nunca te vas a casar". Claro, si el padre o la madre permiten a los otros manifestar sus sentimientos, ellos mismos entrarán en contacto con los suyos y sufrirán.

c) *Intentan controlar a los demás.* Frente a la nueva realidad que escapa de sus manos, los miembros de la familia quieren controlar a los demás. Para disminuir su culpa, los padres controlan a través de distintas formas. Se dicen a sí mismos: "A nuestro hijo le hace falta cariño", y empiezan a sobreprotegerlo; "no hemos pasado suficiente tiempo con él", y lo acosan con su presencia, o "nuestra educación ha sido muy exigente o blanda", entonces practican el comportamiento opuesto. El control se ejerce a través del dinero, del chantaje, de la indiferencia, de la imposición, etcétera. A fin de cuentas, como todos se comportan de la misma forma, el deseo de control deriva en un descontrol de la situación.

d) *Culpan a otros del problema.* Una forma de respuesta provocada por el dolor que sienten las familias al enfrentar la adicción de uno de sus miembros consiste en culpar a quien sea: al gobierno, los traficantes, los amigos, los parientes... Cuando no hallan a quién culpar, los padres se culpan a sí mismos y se castigan. El sentimiento de culpa es tan fuerte que las personas prefieren no reconocerlo. Con ello, evaden su responsabilidad y no afrontan la situación.

e) *No hablan.* El silencio como respuesta. La familia teme hablar sobre lo que está viviendo: el estado en que se encuentra el adicto, su comportamiento frente a él, su avance en el consumo, etcétera. Pareciera que, al no hablar, no está ocurriendo nada. Por su parte, el hijo se encuentra tan involucrado en el consumo, en las pérdidas, en el dolor, que no sabe cómo salir de ahí; la única manera que encuentra de pedir ayuda es mediante un consumo más abierto. A veces, deja rastros tras de sí, que obliguen a sus padres a enterarse. El chico se muestra incapaz de verbalizar sus sentimientos porque para él resulta muy doloroso aceptar su adicción.

f) *Desconfían de todos.* Los familiares de un adicto no confían en nadie, ni siquiera en Dios. Se trata de una posición egoísta, en la cual creen que ellos solos podrán componer el desorden. Se sienten omnipotentes.

g) *Racionalizan el problema.* Intelectualizar, tratar de encontrar respuestas a todo, puede ser muy peligroso. Al racionalizar, las personas crean mentiras tan finas que poco a poco terminan por creerlas. Así, pierden el contacto con sus sentimientos. El camino más largo es el que va de la cabeza al corazón. "A veces, en la consulta, los padres afirman que la adicción de su hijo está controlada, que va de salida. Después de profundizar un poco en el tema, resulta que el muchacho se intentó suicidar hace una semana o tuvo una crisis", cuenta Feldman.

Dentro de un sistema de valores como el descrito, la familia crea sujetos ansiosos, con baja autoestima y que reprimen su dolor a tal grado que la gente a su alrededor piensa que no sienten. A la vez, su dolor se halla enmascarado por un sentimiento de vergüenza que terminará en culpa. ¿De qué manera ocurre este proceso? Cuando sus padres le resultan inaccesibles, un niño necesita idealizarlos porque, de otra forma, generaría tanta angustia que no podría sobrevivir. Con padres abusivos o maltratadores la idealización por parte de los pequeños es mayor. Sus sentimientos, entonces, quedan descalificados y se sienten culpables de los sucesivos conflictos en el hogar, merecedores de los abusos paternos. Se dicen a sí mismos: "Soy culpable de que me peguen porque no recogí los juguetes". La culpa infantil trae como consecuencia una vergüenza, al creer que, como se portaron mal, son unas malas personas. Pero guardan silencio para evitar que los demás conozcan su mal comportamiento. En su opinión, la consecuencia lógica de su "maldad" puede ser el rechazo, por lo cual estos niños viven temerosos de ser abandonados.

Así crecen, carentes de una válvula de escape que les ayude a manejar la enorme tensión cotidiana. Nadie puede resistir tal cantidad de emociones. Por eso, con el paso del tiempo, se sienten tristes, melancólicos o deprimidos. O bien, recurren a las drogas para manejar el intenso dolor que llevan ahogado dentro de sí. Las adicciones devienen síntoma de ese dolor.

La codependencia

Los comportamientos antes señalados tienen lugar en forma inconsciente. Nadie sabe bien quién impuso las reglas del juego. Quizá provengan de un aprendizaje que, durante siglos, ha perpetuado una misma familia, generación tras generación. Como consecuencia, aparece "un patrón de dependencia dolorosa de comportamientos compulsivos y de aprobación de los demás para tratar de obtener seguridad, autoestima e identidad".[5] Este síndrome recibe el nombre de codependencia.

Movidos por su baja autoestima, los codependientes consideran más importante cubrir las necesidades del adicto que las suyas propias, pues desean complacerlo o retenerlo. Con frecuencia, estos individuos crecieron en familias adictas a cualquier cosa que disminuyera su sufrimiento emocional. Ellos también están enfermos, pero no se dan cuenta y, cuando lo hacen, se engañan a sí mismos —a veces hasta en mayor medida que el adicto—, porque se han olvidado de vivir una vida propia y necesitan disfrazar esa realidad. Algunas otras características de los codependientes son:

- Se sienten responsables de los sentimientos y las conductas de otros, y al mismo tiempo niegan y ocultan sus verdaderos sentimientos.
- Se les dificulta enormemente identificar y expresar sentimientos.
- Temen el rechazo y el abandono.
- Son perfeccionistas en grado extremo y generan demasiadas expectativas sobre ellos mismos y los demás, lo cual les impide aceptar al ser imperfecto en que se ha convertido el adicto.
- Muestran gran rigidez; pueden ir del extremo de care-

cer de reglas a ser inflexibles en todos los campos de su vida.

- Anteponen los deseos y las necesidades de los demás a los suyos.
- Valoran más las opiniones de otros que las propias, y no saben o no creen que ser vulnerables y pedir ayuda es sano y normal.

Obsesionados con cumplir estas reglas del juego, los codependientes se van deshumanizando. Veamos cómo los miembros de la familia de Jesús, que participaron en una terapia, vivieron la enfermedad de la codependencia:

> Cuando llegó a la ciudad, José carecía de todo. Se instaló en casa de una tía y, mediante una beca, pudo estudiar una carrera en la Universidad Nacional Autónoma de México. Como buen luchador y trabajador, logró salir adelante. Años después, se casó con Leticia y tuvieron tres hijos: Luis Enrique, Jesús y Carmen. La vida transcurrió plácidamente, como miel sobre hojuelas, hasta que los muchachos llegaron a la adolescencia. Jesús comenzó a beber sin control. Al notarlo, a espaldas de su marido, Leticia lo llevó a varias terapias, que no funcionaron. Jesús y Luis Enrique —quien también bebe, aunque en menor cantidad que su hermano— se casaron y, antes de cumplir 20 años, ya tenían uno y dos hijos, respectivamente. Al igual que Carmen, todos viven en un departamento que su padre les compró. También es él quien los mantiene, al igual que a sus respectivas familias. A diferencia de sus hermanos, Carmen está deseosa de terminar la universidad para irse de su casa.

Por lo pronto, durante las vacaciones, ha buscado un trabajo.

Tras intentar ganarse la vida durante unos meses en Estados Unidos, Jesús regresa a México e ingresa a la universidad. Cierto día, cuando está bebiendo en casa de sus padres acompañado de sus amigos, Jesús maltrata a su madre y hermana, quienes lo cuestionan por su comportamiento. Ante la violencia del hijo, la respuesta de Leticia es echarlo de casa. El padre, al enterarse, va en busca de Jesús para que regrese al seno familiar. Hasta aquí llega la historia que cuenta Leticia.

En el momento de tomar la palabra, José asegura no estar de acuerdo con el internamiento de cinco semanas para la rehabilitación de su hijo porque considera que no es un adicto; simplemente, como otros muchos jóvenes, se toma unas cervezas con sus amigos. Lo calificaría como un bebedor social. En su casa no existe problema alguno y le parece perfectamente lógico seguir manteniendo a los dos hijos y sus familias, hasta que terminen el octavo semestre de la carrera y empiecen a trabajar. Él puede con todo. Incluso le da dinero a Jesús para que se compre ropa de buena calidad...

—Que después vende para obtener alcohol. Tal y como ocurrió con toda la ropa nueva que trajo de Estados Unidos y que, poco a poco, fue vendiendo hasta quedarse sin nada. —acota Leticia.

—¿Cómo te sentiste cuando tu hijo agredió a Leticia y a Carmen? —le cuestiona la terapeuta.

—Eso ocurrió porque mi esposa se enoja mucho desde que Jesús toma la primera copa.

—José, ¿cuántas copas crees que podría beber tu hijo antes de que Leticia debiera enojarse?

José esbozó una sonrisa como respuesta.

Papeles de una familia codependiente

Inconscientemente, para poder vivir dentro de una familia disfuncional, cada uno de sus miembros se adjudica un papel —explica González—. Veamos cuál es el papel que cumplen José, Leticia y sus hijos en la conducta adictiva de Jesús:

- *El adicto ("no me vean a mí")*. Jesús representa el problema en la familia. Ha dado origen al caos en que viven todos sus miembros. Siente tanta vergüenza, miedo, culpa y desesperación que es capaz de agredir a las mujeres de su familia. Hacia afuera se muestra inconsistente con sus responsabilidades, egocéntrico, culpa a los demás por su enfermedad (le dice al padre "toma tu cochino dinero, no lo necesito") y niega su adicción.
- *El principal facilitador ("pobre de mí")*. Leticia, la madre, intenta rescatar a su hijo. Mantiene el control a toda costa: alimenta al adicto, al otro hijo irresponsable y a toda su familia; oculta al esposo, el mayor tiempo posible, lo que ocurre con Jesús; manipula la situación y está físicamente enferma, padece colitis nerviosa. Está herida y siente vergüenza, culpa ("si no les hubiéramos dado tantas cosas desde que eran pequeños, quizá nuestros hijos serían más responsables de sus actos") y enojo (por eso, echa a Jesús fuera de casa). Es muy responsable y no piensa en sí misma, de ahí que sirva la comida a todos conforme van llegando a casa, como si se tratara de una cocinera. Protagoniza a la buena de la historia.

- *El héroe familiar ("yo lo arreglo")*. Qué duda cabe, José cumple este papel creyendo hacer lo correcto, pero a diferencia de otros héroes no se muestra cansado de solucionar todo en la familia, y llega al extremo de satisfacer los caprichos del adicto, a quien le gusta la buena ropa. José le compra un pantalón o unos zapatos caros para que Jesús los venda a cambio de alcohol. Representa al miembro del cual la familia puede sentirse orgullosa, el que los cuida y siempre hace lo correcto. Nunca se equivoca ni se arrepiente de nada; es un excelente trabajador, perfeccionista a ultranza.
- *La víctima propiciatoria ("les demostraré que puedo hacer cosas peores")*. Luis Enrique, el hermano mayor, quien debería trabajar para mantener a su esposa y dos hijos (no planeados por la pareja), se encuentra aparentemente muy a gusto dependiendo de papá. También se alcoholiza con cierta frecuencia y con ello distrae la atención concentrada en el hermano adicto. Por supuesto, anda a la deriva por la vida, malhumorado, herido y con culpa por atraer la atención negativa de los demás.
- *La mascota ("mírenme")*. De Carmen se habla poco, quizá porque es la más sana de todos, pues desea trabajar para poder abandonar la casa familiar. Recibe poca atención y resulta un poco el bufón de la familia. De no poder escapar de ese enrarecido ambiente, quizá terminaría casada con un héroe y enfermaría por la incapacidad de manejar el estrés.

Los codependientes, al igual que los adictos, piensan que son tan poderosos que pueden causar una adicción, controlarla o curarla. Para sanar, deben ser capaces de aprender la regla de las tres C de Alcohólicos Anónimos: no lo Causaste, no puedes Controlarlo y no puedes Curarlo.

En busca de respuestas

A ningún adicto se le facilita salir del círculo vicioso en que se ha metido con su consumo. Sin embargo, cuando la familia está alerta y consciente de que, al terminar el programa de rehabilitación de cinco semanas, todos habrán de modificar su conducta si desean que el enfermo cambie también, el camino está un poco más allanado. Para empezar, reconocer el problema representa, tanto para el adicto como para los familiares, un buen indicio. La historia de una familia que cambió su país de residencia para ayudar a uno de sus miembros a superar su alcoholismo ilustra esta situación.

> Consuelo es viuda de un alcohólico, con quien procreó tres hijos varones. Hace unos meses se enteró de que su nuera, la esposa del menor de ellos, le había contado a uno de sus cuñados que Javier, al igual que el padre, tenía problemas con su manera de beber. Supo, igualmente, que su finado marido tenía conocimiento de la enfermedad del hijo desde sus inicios, pero se lo ocultó para evitarle sufrimientos, o quizá por la culpabilidad que sentía ante el temor de ser el causante de dicha adicción. Cuando toda la familia —incluso las esposas de los tres hermanos— se reunió para hablar, Javier reconoció su problema y accedió a internarse, con el fin de intentar recuperarse de su adicción.
>
> Antes de que Javier terminara el tratamiento y se reintegrara a la vida normal, todos viajaron para participar en los tres días de terapia familiar recomendados por

> los expertos de la clínica. Resulta lógico pensar que, de no atender su propio problema de codependencia, los familiares no podrían ayudar al adicto a romper el círculo vicioso que caracteriza a esta enfermedad: negar el problema, autoengañarse, querer controlarlo todo, culpar a los demás, establecer complicidades y reprimir toda clase de sentimientos.
>
> En la terapia de grupo que vivieron con los demás participantes, la madre y los hermanos de Javier se mostraron abiertos a hablar sobre el problema familiar y contaron cómo, desde pequeños, Consuelo les habló del peligro que corrían, dada la predisposición hacia el alcoholismo heredada de su padre. Probablemente, al prepararlos así, evitará la enfermedad de sus otros dos hijos. Por desgracia, Javier no pudo escapar a este comportamiento adictivo, pero sin duda, apoyado por toda su familia, encontrará la fuerza para salir adelante. Con su iniciativa, al hablar en vez de callar, su esposa, una chica muy joven, superó el primer impedimento que enfrentan los codependientes para empezar a cambiar: el silencio.

Los mejores antídotos contra la codependencia son: hablar sobre los problemas y los sentimientos, desprenderse con amor, vivir un día a la vez y aprender a cuidar cada uno de sí mismo.

Predicar con el ejemplo[6]

Toda la palabrería del mundo no basta para lograr el efecto de un buen ejemplo paterno en los hijos. Por eso, la mejor educación que, como padre o madre puede dejarles, se basa en su propia conducta. Así:

- Sea un ejemplo para seguir, el tipo de persona que quisiera que fueran sus hijos.
- Muestre hacia los demás un comportamiento tan compasivo, generoso, honesto y tolerante como el que desearía ver en sus hijos.
- Sepa que, cuando se trata de sustancias adictivas, no existe eso de "haz lo que digo, no lo que hago". Recuerde que sus hijos lo conocen bien y tarde o temprano se darán cuenta de que está abusando de las pastillas.
- Si usted consume alcohol o drogas ilegales ocasionalmente, puede estar enviando mensajes negativos a sus hijos, tales como:
  - "Es correcto infringir la ley para satisfacer necesidades personales".
  - "La mejor manera de lidiar con el estrés, la tensión y otros problemas es usar alcohol o drogas".
  - "La felicidad proviene de la euforia temporal que proporcionan las drogas, no de las buenas relaciones con los demás".
  - "Resulta más fácil tomar drogas que desarrollar destrezas para resolver problemas o manejar el estrés".
  - "Mi prioridad es el alcohol, no ustedes".
  - "El dinero que podría gastarse para cubrir las necesidades familiares o en un entretenimiento legítimo es mejor emplearlo en la compra de alcohol o drogas".
  - "Es preferible emplear el tiempo en consumir drogas que con los seres que amas".
  - "Si una persona no se valora mucho a sí misma, las drogas son la respuesta".

¿Por qué los padres evitan hablar sobre alcohol y drogas con sus hijos?

Los jóvenes viven inmersos en un ambiente donde existe el alcohol —puesto que éste aparece en cualquier celebración familiar o social, se anuncia por televisión, se vende en los sitios de reunión— y oyen hablar sobre las drogas con frecuencia. Quizá algún compañero del colegio o un vecino consuma sustancias ilegales. Sin embargo, al igual que con la sexualidad, no se atreven a mencionarles el tema a sus padres por temor a que reaccionen con enojo, a que los culpen de querer consumir o de haberlo hecho ya. Cuando ellos toman la iniciativa de tocar el tema de las adicciones, es preciso que los padres no se asusten, los critiquen o rechacen, sino que estén abiertos a hablar con ellos, a buscar juntos información sobre el tema.

Por su parte, los padres también son renuentes a iniciar una conversación sobre sustancias adictivas con los hijos porque:[7]

a) *Ellos fuman, beben alcohol con cierta frecuencia o quizá probaron drogas alguna vez.* Esta preocupación legítima no debe disuadirlos de hablar honestamente y compartir esta experiencia con sus hijos. Los padres son seres humanos y no necesitan proyectar una imagen perfecta para comunicarse efectivamente. Reconocer los errores y tratar de aprender de ellos constituye una lección importante.

b) No desean "darles ideas que los induzcan al vicio". Piensan que ni siquiera ha pasado por la mente de sus hijos cuestionarse acerca del consumo de drogas o alcohol.

Probablemente su hijo esté prevenido sobre el uso de alcohol, tabaco y otras sustancias adictivas. De hecho, las charlas sobre el tema no provocan que los jóvenes se conviertan en alcohólicos o drogadictos. Todo lo contrario, hablar sobre adicciones contribuye a aclararles la información y enseñarles el punto de vista de sus padres al respecto —lo cual, como veremos en el capítulo correspondiente a factores de protección, puede constituir un importante elemento disuasivo para no probar sustancias nocivas—. "En el momento en que decidamos tocar el tema de las drogas con los jóvenes, los adultos debemos tener mucho cuidado de no proporcionarles información de más, de no extendernos acerca de cómo se emplea una sustancia o la cantidad de dosis necesaria para obtener cierta sensación", afirma García-Mora. "Por ejemplo, si le decimos a un muchacho que el alcohol se metaboliza una hora después de consumirlo, que debe comer antes de ingerirlo y beber despacito y nunca cuando tiene sed, le estamos dando información sobre cómo emborracharse a gusto".

c) *Se sienten incómodos al hablar sobre el tema*. Ciertamente no resulta fácil, la primera vez, hablar sobre el asunto. Necesitan elegir un buen momento para iniciar la charla con sus hijos y, de preferencia, encontrarse presentes ambos padres, lo cual les hará ver que comparten una misma posición ante el tema.

d) *Están desinformados*. Comúnmente, los adultos que no han vivido en un ambiente adictivo, o no lo han hecho consciente, carecen de información sobre lo que ocurre hoy día en materia de sustancias psicoactivas y las consecuencias derivadas de su consumo. Puede ser de utilidad reconocer su ignorancia frente a sus hijos y proponerles la búsqueda de información juntos. Siempre será mejor que permanecer indiferentes o cerrar los ojos ante una desagradable realidad que está ahí, por más que pretendan negarla.

En todo caso, las estadísticas nos proporcionan una información que los adultos no podemos ni debemos soslayar si queremos educar jóvenes sanos: los menores que aprenden de sus padres o de quienes los cuidan acerca de los riesgos que corren por consumir drogas, tienen 36% menos probabilidades de fumar marihuana, 50% menos probabilidades de usar inhalables y 56% menos de consumir cocaína que aquellos menores que no lo aprenden.

4 Algunos "culpables" al banquillo

La buena educación es la que da al cuerpo y al alma
toda la belleza, toda la perfección de que son capaces.
PLATÓN, filósofo griego

La culpa constituye una de las secuelas que deja la adicción en la familia de un enfermo. En efecto, es preciso encontrar un chivo expiatorio para justificar o explicarse una realidad pasmosa que se presenta con la fuerza de un huracán y rompe con la dinámica familiar. Por lo común, el padre y la madre se recriminan mutuamente o a sí mismos por el comportamiento del hijo, o quizá intenten hallar a un culpable fuera de la pareja para librarse de remordimientos.

¿A quién culpar? En realidad, no existen culpables en el problema de las adicciones; existen responsables. Todos los que formamos parte de esta sociedad podemos contribuir a cambiar nuestro ambiente para que los jóvenes puedan crecer y desarrollarse de manera más libre y armónica.

Primero, la familia

Los genes

Antes que nada, hay que partir de la base de que, como dijera el filósofo español José Ortega y Gasset, "yo soy yo y mi circunstancia". Así, cada persona forma un mundo y distintas causas pueden llevarla a consumir alcohol o drogas ilícitas. Sin embargo, tras años de investigación y estudio del fenómeno, se ha podido establecer que existen causas genéticas que predisponen a una persona a caer en un comportamiento adictivo. Si una familia presenta antecedentes de este tipo, aumenta la probabilidad de que alguno de sus miembros tienda a una conducta similar.

En opinión de García, "los factores biológicos, aquellos que los médicos llamamos predisposición física, están determinados por características individuales. Si bien no se ha demostrado científicamente la existencia de un factor hereditario en la enfermedad adictiva, sí se sospecha que un sujeto puede cargar información genética de mayor o menor susceptibilidad hacia una sustancia, al igual que a una medicina, por ejemplo. Esto queda demostrado cuando alguien manifiesta una alta tolerancia a las drogas o al alcohol. Hay quien con una cerveza no siente nada y otros en cambio se sienten muy mal físicamente".

La química del cerebro también desempeña un papel importante en la generación de una dependencia a sustancias psicoactivas. Recientes descubrimientos revelaron la existencia de un **neurotransmisor** que regula la ansiedad, llamado Gaba. Tras realizar estudios en Estados Unidos, se vio que los hijos de alcohólicos presentaban un bajo nivel de Gaba en el cerebro, lo cual los volvía extremadamente ansiosos. Al ingerir alcohol o algunos tipos de sedantes, su nivel de Gaba aumentaba y su ansiedad disminuía, por lo cual encontraban en el alcohol un relajante idóneo para calmar su ansiedad.

Desde luego, la carga genética no es un factor determinante de la adicción, pues, en un momento dado, ciertos individuos pueden contar con un mecanismo protector que los aleje de esta condición. Por ejemplo, si el hijo de un alcohólico recibe una buena crianza durante la primera infancia y vive en un ambiente familiar y escolar adecuado durante la segunda, elimina, o por lo menos neutraliza, la predisposición genética. Lo anterior explica por qué únicamente 30% de los hijos de alcohólicos desarrollan este problema cuando son adultos.

El tedio permanente de los hijos

No hemos fortalecido a las nuevas generaciones para tolerar la frustración o el dolor. Con el sentimiento de que, dadas las condiciones económicas operantes, no tienen cabida en el mundo, o bien por su falta de confianza en que serán capaces de triunfar, los jóvenes no quieren privarse ni posponer el placer.

Si los observamos con detenimiento, llegamos a la conclusión de que a muchos jóvenes de hoy les cuesta trabajo encontrar sentido a su vida y deambulan por ahí en un estado de tedio permanente que, según el especialista en comportamiento Konrad Lorenz, se manifiesta de tres maneras:[1]

a) *Apremio a la satisfacción instantánea.* Cualquier objetivo o goce que no pueda alcanzarse en poco tiempo no vale la pena intentarse siquiera. Los avances tecnológicos contribuyen a eliminar la espera: los alimentos que se preparan al instante; los teléfonos celulares, con los cuales estamos localizados al momento; los prácticos y rápidos hornos de microondas; el envío de información vía correo electrónico o fax y un sinfín de máquinas que incorporamos incesantemente a nuestra vida cada vez más agitada.

b) *Poca disposición a moverse*. La pereza física se relaciona, a menudo, con la pereza emocional, lo cual puede llevar al debilitamiento de la capacidad de sentir compasión que hoy se ve en muchos adolescentes hastiados.

c) *Incapacidad para soportar cualquier clase de dolor o displacer*. El enorme consumo de analgésicos y tranquilizantes, el creciente índice de suicidios y las adicciones juveniles brindan testimonio sobre tal incapacidad.

¿Qué sucede con los padres? Tampoco se han preparado para enseñar valores distintos que vivir con blandura, comprar y tener más y más posesiones, con el fin de competir, de quedar por encima de los demás, de regirse por las apariencias. Se mueven a partir de un orden de cosas superficial e intrascendente que deriva, con frecuencia, en hastío, sensación que causa más problemas en nuestros días que la tensión. Como explica Viktor E. Frankl, creador de la técnica terapéutica conocida como logoterapia, el hastío provoca el vacío existencial que experimentan cada vez más personas, lo cual se hizo evidente en una encuesta practicada por su equipo entre los pacientes del Hospital Policlínico de Viena. Hallaron que 55% de ellos había experimentado la pérdida del sentimiento de que la vida es significativa.

Esta falta de contenido en la vida de muchos se manifiesta enmascarada con diversas caretas y disfraces. "A veces la frustración de la voluntad de sentido se compensa mediante una voluntad de poder, en la que cabe su expresión más primitiva: la voluntad de tener dinero. En otros casos en que la voluntad de sentido se frustra, viene a ocupar su lugar la voluntad de placer",[2] anota Viktor Frankl.

Uno de los ejemplos más claros de la despersonalización, del vacío interno que deriva en la búsqueda de placer por el placer mismo y la necesidad impulsiva de riesgo y excitación de gran cantidad de jóvenes, puede observarse en la forma como se divierten, en las llamadas fiestas *rave,* donde circulan alcohol y sustancias de todo tipo, principalmente las llamadas "drogas de diseño", como el *éxtasis* (una pastilla en cuya elaboración se mezclan anfetaminas, metanfetaminas, cafeína, *Diazepán* y demás lindezas que el productor en turno tenga a su alcance). Las consecuencias de consumirlas son impredecibles, dada la cantidad de sustancias empleadas para formar estas pastillas.

Después, el ambiente social

Existe evidencia de que el uso de diversas sustancias que alteran los estados de conciencia data de siglos atrás. Sin embargo, pareciera que hoy día se recurre más al consumo de drogas para escapar de una realidad que resulta dolorosa, frustrante o difícil de enfrentar. Como sociedad, hemos cerrado los caminos de crecimiento sano y armónico a las nuevas generaciones.

Vivimos en una cultura permisiva con respecto al alcohol, un ambiente donde prevalece una alta tolerancia ante el consumo de esta sustancia; la diversión de muchos jóvenes gira en torno a ella. No hay fiesta ni partido de fútbol que se precie que no se acompañe de unas cervezas frías. Un muchacho que no bebe, no es *cool*. Hay que aclarar: no todo aquel que inicia un consumo o abusa del alcohol u otras sustancias se volverá adicto, pero sí tiene mayores probabilidades de caer en la adicción que quien no lo hace.

En cuanto al ambiente en general, si los seres humanos pudiéramos medir el éxito alcanzado tomando como punto de partida las oportunidades con que cuentan los jóvenes de crecer y desarrollarse, hemos fracasado. Sus horizontes de vida son poco claros, negros, debido a: la falta de oportunidades para expresar lo que sienten, desean o proponen; la escasez de puestos laborales; la poca intención de muchos de formar una familia, en vista de que, en su forma tradicional, este concepto está devaluado y en vía de extinción; la falta de valores, la corrupción. No podemos seguir cruzándonos de brazos y hablar, alarmados pero con resignación, sobre todos estos asuntos que conforman nuestra realidad. En todos ellos se puede trabajar a escala familiar y social.

Los elementos perversos del entorno

"No podemos permitirlo... cualquier cosa que la mente reciba a esa edad puede volverse indeleble e inalterable, y por tanto es sumamente importante que las historias que oyen los pequeños sean **paradigma** de pensamientos virtuosos.

"Entonces nuestros jóvenes morarán en una tierra de salud, entre bellas vistas y sonidos, y recibirán lo bueno en todo, y la belleza, emanación de obras gráciles, se introducirá en ojos y oídos como una brisa saludable de una región más pura, e inadvertidamente guiará el alma, desde los primeros años, hacia la semejanza y simpatía con la belleza de la razón.

"No puede haber formación más noble". Platón, *República*.

Los medios masivos de comunicación

En un hogar donde ambos padres trabajan o por múltiples razones no dedican el tiempo necesario a sus hijos, resulta más fácil conectarlos a la televisión o al computador. Así se distraerán y pasarán el tiempo. Inermes ante tantos distractores, los muchachos son bombardeados con mensajes de todo tipo a través de los medios masivos de comunicación o de otros medios, como el internet, las películas, los videos, los anuncios, etcétera. En todos ellos aparecen hombres y mujeres "triunfadores" con un cigarro en la boca o una copa en la mano, expresando ideas equívocas acerca del significado de crecer y ser persona. No es raro, entonces, que los chicos asocien tabaco y alcohol con ser adulto y lograr la aceptación de los demás a través del prestigio y el dinero.

¿Existe, en la llamada sociedad de consumo, un universo más capaz de cautivar que el formado por los niños y los jóvenes? Algunas de las diversas formas que utilizan los mercadólogos para inducir a este sector al consumo son:

- Aludir a la parte afectiva de los jóvenes, mediante el argumento de que "no serás bien aceptado si no compras tal producto".
- Hacer sentir a los jóvenes fuera del circuito: "Todos los demás están comprando este producto; tú también deberías hacerlo; si no, estarás fuera de lo que hace la multitud moderna y audaz".

- Hacerlos sentir inadecuados o fracasados: "Si no compras este producto, no serás capaz de hacer esto o aquello tan bien como lo hacen todos los demás".
- Hacerlos sentir menos femeninas o masculinos: "Si no bebes tal producto, eres un..." o "Si tú no usas tal producto, no serás bonita o guapo".

Con esta manera de informar y vender, se propicia la existencia del llamado hombre ligero, cuya personalidad es:

- *Hedonista*. Persigue "la entronización del placer a toda costa: lo importante es pasarlo bien sin restricciones".
- *Consumista*. Para él "lo fundamental es tener, poseer; el hombre en función del dinero y la capacidad adquisitiva".
- *Permisiva*. Todo se vale. Lo esencial es hacer "lo que a uno le parece bien y seguir la psicología del 'me apetece'".
- *Relativista*. "Todo depende en última instancia del prisma y el ángulo desde el que se observe la realidad. No hay absolutos, todo es relativo. Se desciende por la rampa de la *absolutización de lo relativo*".[3]

En el mismo sentido, cabría preguntarse cómo influyen los medios masivos y sus productos en los modelos que los jóvenes admiran e imitan. Escojamos a uno de ellos, Marilyn Manson (nombre inspirado en la estrella cinematográfica Marilyn Monroe y el multiasesino Charles Manson), quien se autonombra "reverendo Manson". Este ídolo musical simboliza la parte oscura, ambigua del hombre. Sus textos y atmósferas reflejan "opresión económica y parafascista, canto al feísmo, cientifismo enfermizo, explotación de los más bajos y escondidos instintos humanos como el odio, el miedo y el asco".[4]

La influencia que ejerce este provocador en los jóvenes alcanzó la página roja de los noticieros cuando dos muchachos asesinaron a un profesor y doce estudiantes en una escuela de Denver en abril de 1999. Nos aventuraríamos si afirmáramos que, de no haber sido por la música y la retorcida cosmovisión de Manson, el crimen no se hubiera perpetrado. No obstante, ¿qué tan edificante resulta llenar la cabeza de los fácilmente impresionables jóvenes con mensajes deformados y negativos sobre la realidad?

A este respecto, Villarreal advierte que los medios masivos carecen de límites. En México, se maneja publicidad subliminal sin control alguno. "Somos víctimas de una falta de crecimiento de nuestros gobernantes. Con la globalización, recibimos lo que otros países nos quieren mandar. No hay regulación de ningún tipo, la televisión transmite lo que se le da la gana. Vivimos una borrachera de libertad en los medios y nadie sabe qué hacer con ella".

El internet

La globalización de la información representa igualmente un fenómeno importantísimo de nuestros tiempos. El internet, una herramienta fundamental y maravillosa, puede constituir un riesgo para aquellos jóvenes ávidos de nuevas experiencias. En un artículo aparecido en *El diario montañés* de España se informa acerca de la posibilidad de conseguir éxtasis a través de la red. "Entrar en un *chat* (salón de conversación) es suficiente para que un número considerable de cibertraficantes se pongan en contacto con el interesado y le faciliten drogas de diseño a la carta (...) Durante la operación de venta, el traficante ofreció éxtasis conocido bajo el nombre de 007, que según sus propias palabras 'son compatibles con el consumo de alcohol'. El traficante incluso dio algunos consejos sobre cómo introducir éxtasis en una discoteca cuando hay presencia policial".[5] Como es lógico pensar, un medio tan masificado y difícil de controlar resulta idóneo para la venta de casi cualquier cosa. Por eso, adquiere gran relevancia el aspecto formativo y de prevención que trataremos más adelante.

La Academia Americana de Psiquiatría de Niños y Adolescentes (Aacap) señala que, mientras muchos padres advierten a sus hijos que no deben hablar con extraños o abrirle la puerta a un desconocido, y controlan a dónde van a jugar sus hijos o los programas que ven, "no se dan cuenta de que el mismo nivel de supervisión y orientación se debe proveer para el uso de las conexiones en línea". La mayoría de los *chats* o los "grupos de noticias" (*newsgroups*) carecen de supervisión. "Dado que los 'nombres de pantalla' (*screen names*) o seudónimos son completamente anónimos, los niños no pueden saber si están 'hablando' con otro niño o con alguna persona pervertida que aparenta ser un niño o un adolescente".[6]

Las consecuencias de que los padres descuiden a sus hijos cuando están conectados a la red pueden ser muy serias:

- Que los niños den información personal relevante (teléfono, dirección, contraseña).
- Que se pongan de acuerdo con su interlocutor anónimo para conocerlo en persona.
- Que tengan fácil acceso a áreas inapropiadas o a información que fomenta el odio, la violencia o la pornografía.
- Que con el pretexto de inscribirse a un club o participar en un concurso provean de información personal o doméstica a fuentes desconocidas.

- Que el tiempo que emplean frente al computador sea tiempo perdido para el desarrollo de destrezas sociales.

El estrés

Ciertamente, con el acelerado ritmo de vida de quienes vivimos en una gran ciudad, la palabra estrés ha pasado a formar parte de nuestro vocabulario cotidiano. Resulta difícil definir y detectar el estrés porque se manifiesta de distinta forma en cada individuo, tanto física como emocionalmente. Cierta dosis de estrés es deseable para nuestro crecimiento y puede originar cambios útiles. Por ejemplo, el estrés mejora nuestra atención e incrementa la capacidad de almacenar e integrar información sobre la manera de salvar nuestra vida. Pero si el estrés se prolonga o se vuelve crónico, puede traer consigo cambios dañinos para nuestra mente y cuerpo. Desde el punto de vista médico, recientes descubrimientos muestran que cuando el organismo padece estrés secreta cortisol, una sustancia dañina para el organismo.

Los llamados estresores difieren en cada uno de nosotros. Lo que una persona considera estresante puede no serlo para otra; cada uno responde a la presión de distinto modo. Aunque la mayoría de los muchachos de hoy nació en un ambiente donde el estrés forma parte de la vida diaria, no por ello su cuerpo y mente están acostumbrados a tales presiones. Si no se maneja de manera adecuada, el estrés continuo puede derivar en ansiedad, retraimiento, agresión, enfermedades físicas o uso de drogas y alcohol. Entre las causas del estrés que los jóvenes experimentan se encuentran:

- Las demandas y frustraciones de la escuela.
- Los problemas con los compañeros.

- Cambiar de escuela o pasar de primaria a secundaria y de secundaria a preparatoria.
- La elección de una carrera.
- Llevar a cabo demasiadas actividades o tener expectativas de vida demasiado altas.
- Las transformaciones que sufre su cuerpo.
- La separación o el desamor de sus padres.
- Una enfermedad crónica o problemas severos en la familia.
- Las relaciones con personas del sexo opuesto.
- Vivir en un ambiente o vecindario poco seguro.

La forma como los jóvenes enfrentan el estrés de su entorno —mediante la relajación y la respiración profunda, tocando un instrumento musical o haciendo ejercicio en el gimnasio, por ejemplo— desempeña un papel importante en el impacto que éste ejerce sobre su cuerpo. Los muchachos expuestos a un estrés severo suelen ser más vulnerables al uso de drogas. Numerosos estudios clínicos y epidemiológicos practicados en Estados Unidos señalan una fuerte conexión entre padecer estrés psicológico a edad temprana (por ejemplo, pérdida de uno o ambos padres o ser víctima de abuso) y un alto riesgo de padecer depresión, ansiedad, comportamiento impulsivo o abusar de sustancias en la edad adulta.

Recomendaciones para ayudar a los jóvenes a reducir el estrés: [7]

- Los padres deben revisar su propio comportamiento, para constatar si poseen las habilidades y destrezas que les permitan manejar el estrés. De no ser así, comiencen a practicar nuevas formas de respiración, a hacer ejercicio, a alimentarse de una manera más sana. En el mercado existen muchos libros de autoayuda sobre este tema.

- Promuevan el ejercicio y la buena nutrición en sus hijos desde que son pequeños, con el fin de que se conviertan en hábitos de vida.
- Permítanles expresar sus sentimientos y preocupaciones.
- Explíquenles que ustedes también experimentan dolor, miedo, enojo y nerviosismo.
- Ayúdenles a expresar estos sentimientos de manera positiva, sin tener que recurrir a la violencia.
- Cuando estén enojados, traten de controlar sus primeros impulsos. Tomen tiempo para calmarse antes de continuar hablando (cuenten hasta diez, respiren profundo, abandonen la habitación, salgan a pasear). Una vez calmados, analicen los motivos que provocaron su enfado y decidan cómo resolver la situación de manera razonable y justa. No digan palabras que lastimen y confundan a sus hijos. Recuerden que una agresión, aunque sea verbal, es muy difícil de olvidar.
- No permitan que sus hijos se refieran a sí mismos de manera negativa. En vez de decir: "Qué mala suerte, todo me sale mal", es más positivo afirmar: "Aunque estoy triste o enojado porque las cosas no salieron como yo pensaba, puedo esforzarme para mejorar mi situación".
- Ayúdenles a desarrollar su imaginación con el fin de que aprendan a enfrentar y sobrellevar una situación de estrés. Proporciónenles herramientas para lograrlo; por ejemplo, si hablar en público los pone muy nerviosos,

inscríbanlos en un curso de oratoria. También puede resultar útil enseñarles destrezas prácticas como, por ejemplo, dividir una tarea grande en porciones pequeñas, más fáciles de realizar.

- Establezcan metas basadas en la habilidad de cada uno, no en las expectativas de alguien más.
- Enséñenles el valor de perdonar a los demás y a sí mismos.
- No cansen a los niños inscribiéndolos en demasiadas actividades a la vez.
- Abrácenlos o emprendan una larga caminata después de un evento estresante.
- Cada día, establezcan un tiempo especial para convivir con ellos. Pueden ser actividades tan sencillas como leer un libro juntos, ver un programa de televisión, hacer jardinería u hornear un pastel.
- Muestren confianza en la habilidad de los muchachos para solucionar problemas y emprender nuevos retos.
- Aprendan juntos a realizar algunos ejercicios respiratorios que les ayudarán a manejar ese estado de estrés que impide la respuesta natural de relajación del organismo. Nos movemos automáticamente todos los días. "Esta forma de vida nos impide detenernos a reflexionar sobre cómo vivimos, qué nos pasa, cómo afrontamos las tensiones, cómo nos relajamos. Tal parece que sólo nos dejamos llevar y vamos por la vida simplemente sobreviviendo y no viviendo".[8] La técnica llamada de *meditación activa* que recomienda el Modelo Preventivo de Riesgos Psicosociales *Chimalli* puede ayudar a que toda la familia aprenda a relajarse y a despejar la mente y el cuerpo. Esta técnica se basa en los siguientes pasos:

a) Siéntense cómodamente o, si están de pie, aflojen el cuerpo.
b) Aprieten y relajen algunas partes de su cuerpo para sentir la diferencia entre tensión y relajación.
c) Hagan dos o tres respiraciones profundas: primero inhalen el aire por la nariz hacia la parte más baja de su abdomen, después detengan un poco el aire y, al final, expúlsenlo por la boca.
d) Con los ojos cerrados, preferiblemente, escuchen todos los sonidos que existen a su alrededor, concentrándose totalmente en ellos. Realicen esta actividad durante unos segundos.
e) Al abrir los ojos, hablen con su familia acerca de lo que percibieron. Esta técnica de relajación, respiración y concentración ayuda a hacer un alto en el camino y puede emplearse varias veces al día, en aquellos momentos en que se sientan cansados, aburridos o enojados.

De todas formas, estén pendientes del comportamiento de sus hijos. Si a pesar de sus esfuerzos por ayudarlos a relajarse, los perciben ansiosos, demasiado tensos, preocupados o violentos, es decir, si notan que el estrés está afectando su salud o comportamiento, consulten a un psiquiatra especializado en niños y adolescentes o a un profesional de la salud mental.

5 ¿Por qué unos sí y otros no?

> Víctor: No provengo de una familia donde haya habido violencia, carencias económicas o cosas por el estilo. Desconozco la razón por la que comencé a beber. No he encontrado una causa lógica. A los 11 años me embriagué por primera vez fuera de casa. En cierta manera, fue por imitación y para lograr que mi grupo de amigos me aceptara. No atribuyo mi problema al medio externo, sino a un conflicto mío. Desde siempre fui hiperactivo. De pequeño fui incapaz de expresar mis sentimientos. Si me enojaba con mis papás o sacaba malas calificaciones, me iba a dormir. Me tragaba todo. La bebida, y después la marihuana, la cocaína e incluso la heroína, me servían de escape. Además, no encontraba un interés en la vida. También siento que contribuyó el hecho de estar en una escuela muy conservadora; a través de los años, por mi personalidad, pienso que hubiera sido mejor un colegio más liberal.

Desde la década de los 80, numerosos estudios y encuestas se han realizado con el fin de responder a los siguientes interrogantes: ¿Por qué y cómo comienza un joven a consumir drogas? ¿Qué factores influyen para que sólo unos cuantos de los muchos adolescentes y jóvenes que prueban sustancias adictivas se vuelvan adictos? ¿De qué manera se desarrolla y progresa una adicción? Debido a que se trata de una enfermedad de las emociones, las respuestas a estas preguntas son múltiples. Incluso como puede verse en el testimonio anterior, el propio adicto desconoce, a ciencia cierta, las causas que lo llevaron a abusar del alcohol y las drogas ilícitas. Afortunadamente, aunque sufrió durante más de 12 años por su adicción a todo tipo de sustancias, gracias a los tratamientos de recuperación a que se sometió y a la confianza que le demostró su jefe —quien le pagó el tratamiento en una clínica de rehabilitación—, Víctor se ha convertido en un profesional responsable y apasionado de su trabajo en una empresa productora de videos.

Si bien cada caso de adicción es distinto, a través del seguimiento de diferentes investigaciones realizadas en México durante los últimos 15 años, se han podido identificar dos tipos de factores que diferencian a quienes usan drogas de aquellos que no lo hacen.[1]

1) *Factores de riesgo*. Se asocian con un potencial mayor para el consumo de drogas, es decir, son aquellos que favorecen o incrementan el riesgo de desarrollar este problema.
2) *Factores de protección*. Tienen que ver con una reducción en la probabilidad del uso de drogas, pues contribuyen a la prevención del consumo de sustancias nocivas.

Aun cuando presentan características muy parecidas en distintos tipos de sociedades, los factores de riesgo y protección no deben ser considerados como universales. "No se ha podido precisar qué factores o qué combinación de éstos es más peligrosa, cuáles son más susceptibles de identificación y qué factores representan específicamente un riesgo para el consumo de drogas antes que ser facilitadores de problemas de conducta en general". Por lo anterior se puede afirmar que "no hay una relación directa entre los factores de riesgo y consumo, pero sí que la coexistencia de los factores de riesgo puede activar la vulnerabilidad en los sujetos respecto al uso de drogas y generar una predisposición favorable al consumo", afirma el doctor Jesús Kumate, presidente del Patronato Nacional de Centros de Integración Juvenil de México, A.C.[2]

Entonces, ninguno de estos factores, por sí mismo, determina que un joven use o abuse de las drogas. Con frecuencia, cuando los especialistas tratan de establecer los motivos que forzaron a un muchacho a probar y después abusar de las sustancias no les resulta sencillo determinar el patrón. Es más, se ha visto que, a partir de las mismas circunstancias adversas de contar con numerosos factores de riesgo en su contra, algunos jóvenes lograron crecer y desarrollarse, convirtiéndose posteriormente en hombres valiosos para sí mismos, su familia y su comunidad (de ello hablaremos más extensamente en el capítulo sobre el fenómeno conocido como *resiliencia*).

Factores de riesgo

Los factores de riesgo son aquellas circunstancias que se presentan en los ambientes clave donde se desarrollan los niños y los jóvenes, aumentando la probabilidad de algunos de usar drogas.

Desde luego, los riesgos existen en todos los aspectos de la vida, incluso dentro de nuestra casa. Se encuentran en los espacios que rodean a los niños y los jóvenes, como son la familia y otros agentes socializadores fuera de ella: la escuela, los compañeros y la comunidad. Desde luego, mientras más factores de este tipo interactúen, mayor será el riesgo de caer en comportamientos adictivos. Diversos estudios han identificado cuatro ámbitos (espacios o ambientes) donde se presentan los factores de riesgo que enfrenta un joven y que permiten establecer cierta predisposición a consumir o no alcohol y sustancias ilícitas.

Ámbito personal

Incluye la historia de vida del muchacho, como:

- *Edad.* Cuando existe una baja percepción del riesgo que significa consumir alcohol o drogas, por lo común en la infancia y en la adolescencia, los muchachos se lanzan "sin medir las consecuencias", a probar las sustancias.
- *Género.* Se ha visto que los hombres se hallan más expuestos a situaciones de riesgo que las mujeres y, a nivel cultural, suelen reaccionar más a través de conductas opositoras que ellas, lo cual genera respuestas negativas por parte de los padres y contribuye a crear un ambiente conflictivo en el interior del hogar. Si atendemos a las cifras, la ENA 1998 reporta que por cada 13 hombres que consumieron drogas alguna vez en su vida, sólo una mujer lo había hecho. A la vez, mientras 15 de ellos habían usado drogas durante el último mes en que se realizó la encuesta, sólo una de ellas declaró haberlas con-

sumido. El promedio nacional de consumo de drogas ilegales era, ese año, de 11 varones por cada mujer.

- *Opinión positiva acerca del efecto de las drogas*. Si un muchacho, por diversas circunstancias, desea mostrarse desinhibido, hablador, ocurrente o inteligente frente a sus amigos, tomará alcohol porque ha visto que los adultos se comportan de esa manera cuando lo beben. O, quizá, si los amigos le dicen "prueba con nosotros la marihuana, vas a sentir que flotas", el muchacho deseará experimentar esa sensación. No olvidemos que, en la mayoría de los casos, los jóvenes han oído hablar sobre los efectos de las drogas, casi siempre a partir de información falseada por parte de los compañeros o amigos —aunque esa información no hace referencia a los trastornos provocados por las sustancias y mucho menos a los riesgos de consumirlas—.
- *Dificultades en el manejo de la realidad, sobre todo de los sentimientos*. Suelen ser más propensos los muchachos que no saben manejar los sentimientos porque no han aprendido a hablar de ellos o no les ha dado la oportunidad de hacerlo. Los jóvenes con baja autoestima, con un sentimiento de falta de pertenencia y deseosos de sobresalir de alguna manera, pensarán que con la sustancia se atreverán a socializar o les ayudará a enfrentar la realidad.
- *Problemas de conducta al comienzo de la adolescencia*. Impulsividad, hostilidad y comportamiento rebelde.
- *Descuido de la vida social*. Poca capacidad de adaptación al entorno social o intolerancia, en casos de frustración.
- *Alto grado de inconformismo social*. No aceptar sujetarse a las normas o sentirse incapacitado para lograr éxito.

- *Haber iniciado el consumo experimental en la adolescencia temprana*. Según las encuestas sobre alcoholismo, por ejemplo, 47 de cada 100 mexicanos de ambos sexos admitieron haber empezado a consumir esta sustancia entre los 15 y los 18 años.
- *Dinero disponible y conducta consumista.*
- *Sucesos traumáticos en la infancia*. Haber sido víctima de abuso sexual o físico, por ejemplo.
- *Falta de aceptación, por parte del joven, de sus problemas de conducta* y, por consiguiente, poca disposición a cambiar, especialmente al momento de ingresar a la escuela intermedia.
- *Tendencia a experimentar conductas de riesgo.*
- *Embarazo, aborto o experiencias sexuales negativas*. En estudios efectuados entre estudiantes de preparatoria que abusan de las drogas, 72 de cada 100 hacen referencia a datos de riesgo en el manejo de la sexualidad, tales como embarazo no deseado, aborto e inicio prematuro de la actividad sexual.
- *Trastornos mentales*. Especialmente ansiedad, depresión y algunos trastornos de la personalidad. La depresión y haber sido víctima de abuso sexual predisponen tanto al uso experimental como al abuso de sustancias.
- *Muerte cercana*. Entre los estudiantes que declararon abusar del alcohol y tabaco, pero no de las drogas, 57% presentaron conductas de riesgo asociadas con el manejo inadecuado de eventos negativos en la familia, como divorcio de los padres o muerte significativa.
- *Deseos o intentos de suicidio*. Sumados a la exposición crónica a condiciones de presión y estrés familiar, son

factores que predicen la experimentación y el uso moderado de drogas.

- *Eventos negativos en la vida en el último año.* Para los jóvenes, terminar una relación amorosa, ser rechazado por el grupo de amigos o reprobar una asignatura, pueden convertirse en verdaderas tragedias.
- *Descuido de la salud.* Cuando un muchacho no ha sido formado en el conocimiento de normas sanas y el cuidado de su cuerpo, probablemente descuidará este aspecto e incurrirá en conductas que afecten su salud.
- *Percibir que las drogas son poco o nada peligrosas* es un factor que predice la experimentación y el uso continuo de sustancias psicoactivas. La percepción de riesgo se define como qué tan peligroso considera el adolescente que sea para su salud consumir cigarrillos o drogas. "Más de una tercera parte de los estudiantes consideró muy peligroso experimentar con sustancias una o dos veces, y dos terceras partes, hacerlo regularmente. El orden que ocuparon las sustancias, en cuanto a la percepción de riesgo, de menor a mayor fue: anfetaminas, marihuana, inhalables, cocaína y heroína (...) se puede decir que los adolescentes (...) al no tener una alta percepción de riesgo están en mayor peligro de iniciar el consumo de drogas, ya que por un lado creen en general que las drogas no son tan peligrosas y aunque existe una baja tolerancia social ante el consumo, los adolescentes consideran que es fácil conseguir la droga y muy probablemente exista la creencia de que pueden tener control si deciden consumir".[3]
- *Mal aprovechamiento del tiempo libre.* Un joven aburri-

do y con pocos quehaceres, a una edad donde existe mucha energía y curiosidad, buscará una manera fácil de entretenerse. Hay que recordar que "la ociosidad es la madre de todos los vicios".

Los niños no se pierden en la calle, se pierden en la casa (la historia de Miguel Ángel):

Mi madre comenzó a consumir marihuana a los 12 años; tiempo después pasó a la cocaína y a otras drogas. Cuando nací, era demasiado joven y yo le estorbaba para hacer lo que más le importaba, divertirse. Lo único que mi padre hacía con respecto a mí era darme dinero. Iba a los centros comerciales a gastarlo todo, pero eso no me hacía feliz. Siempre quería más. Una vez que choqué su coche, me molió a palos y me obligó a trabajar para pagárselo. Sólo le interesaba el dinero, no yo. Me gustaría que los dos me hubieran gritado y pegado menos y que me hubieran querido un poco más.

Cuando tenía 13 años, se me ocurrió preguntarle a mi mamá cómo se sentía cuando fumaba marihuana. Nunca se me hubiera ocurrido. Como respuesta, me la dio a probar. Lo mismo hizo con la cocaína. Ahí empecé y seguí con otras drogas, como el LSD. Como eran caras, me juntaba con otros amigos y comprábamos unas gotas para los ojos llamadas *Refractyl ofteno*. Mi proceso de adicción fue sumamente rápido. Quería huir del dolor, de la frustración, y no lo lograba.

Dicen que existe un pájaro en Puerto Rico que pasa toda su vida volando muy alto, por encima de sus depredadores. Sólo baja a la tierra una vez, cuando va a morir.

> Así me sentía yo todo el tiempo con la droga, volando siempre muy alto, por encima de todo, nunca pisando firme.

Ámbito familiar

Probablemente es el más crucial porque afecta el desarrollo temprano del individuo. En cierto sentido, las familias de adictos parecen similares a otras familias con disfunciones severas; sin embargo, se han encontrado ciertos rasgos específicos, como: mayor frecuencia de dependencia a sustancias a lo largo de distintas generaciones; tendencia a expresar los conflictos de una manera más primitiva y directa, con episodios de violencia física entre la pareja y hacia los hijos, y conducta sobreprotectora con los hijos, en especial por parte del adicto, quien los trata como si fueran menores de la edad que tienen.[4]

Las características en este ámbito incluyen:

- *Falta de sentido de pertenencia a la familia.*
- *Crianza ineficaz,* especialmente en casos de hijos con temperamentos difíciles o trastornos de la conducta.
- *Escaso involucramiento de la madre en las actividades de los hijos.* Por distintas causas —como incapacidad para ejercer ese papel, trastornos emocionales o falta de madurez—, puede suceder que, a pesar de que la madre se dedique al hogar y esté cerca de los hijos, se despreocupe en lo concerniente a los intereses y aficiones de éstos.
- *Falta de disciplina paterna.*
- *Falta de afecto y apoyo genuino en la familia, ausencia de comunicación y falta de respeto entre los miembros.* "¿Cómo nos comunicamos con nuestros hijos? —se pregunta Ed

Lacey—. Fatal. Si como personas carecemos de un plan, de un objetivo de vida, mucho más como padres. Aprendimos a través de generaciones cómo no ser buenos papás. Tenemos que abrir los ojos y los oídos. Algunos dicen que una familia disfuncional puede ser el mejor antídoto contra una adicción, pero si en su familia no hablan, no confían y no sienten, imposible que un muchacho sepa que esto no ocurre dentro de otro tipo de familias. No va y pregunta al vecino cómo ser mejor hombre o le pide que se lo enseñe a su padre. Más bien, el chico siente vergüenza y oculta esta situación. Entonces, para intentar llenar ese vacío que siente, va a actuar de la misma forma en que lo hacen sus padres y a evadirse a través de las drogas".

- *Debilidad de vínculos familiares y situaciones de inestabilidad,* tales como: conflictos conyugales constantes, divorcio, nuevo matrimonio de uno o ambos padres y familias compuestas por un solo jefe, casi siempre la madre.
- *La agresión, la indiferencia y el alejamiento emocional entre padres e hijos, así como entre ambos padres.*
- *Consumo eventual entre familiares*. El hecho de que alguno de los parientes cercanos presente problemas con su forma de beber, predice el uso, pero no el abuso, de esta sustancia o el uso experimental de drogas ilícitas. Un adicto en rehabilitación entrevistado nos contó cómo empezó a consumir cuando su hermano mayor le ofreció marihuana, diciéndole: "Pruébala, vas a sentirte increíble". Según las encuestas, el antecedente de consumo en el padre o la madre se presentó en 90,2% de la población bebedora, mientras que, en la población no

bebedora, en 71,8%. Entre los sujetos entrevistados que admitieron llegar a la embriaguez, 60,2% de sus padres también lo hacían; mientras que el consumo paterno aparecía en 57,4% de los casos, sólo 2,8% de las madres bebían. Entre quienes no llegaban al estado de embriaguez, 44,9% de sus padres sí lo hacían.[5]

- *Carencia de normas claras de comportamiento.* La ausencia de límites en la educación da lugar a que los jóvenes crezcan inseguros y sin saber cómo comportarse ante las circunstancias difíciles que enfrentarán durante su vida, una de las cuales puede ser la oferta de sustancias por parte de sus amigos.
- *Bajas expectativas de los padres en relación con la educación de sus hijos.*
- *Ambiente doméstico caótico o desorganizado.* Éste es un factor importante de predicción, particularmente en casos en que los padres o los hermanos consumen drogas o padecen enfermedades mentales.
- *Familias con un padre alcohólico.* Una característica del desorden en que viven muchas de estas familias es la violencia doméstica, situación que suele prolongarse durante muchos años y en la cual influyen, de manera importante, el alcoholismo y la privación afectiva en la familia de origen. A diferencia de otras culturas, en México, aunque la esposa también haya tenido un familiar cercano alcohólico, no copia los patrones de consumo de alcohol del marido; no obstante, puede padecer fuertes signos de depresión.

Ámbito escolar

Si los padres creen que, durante las horas que pasan en el colegio, sus hijos se encuentran en una burbuja protectora, están muy equivocados. La escasa o nula prevención en este importante lugar salta a la vista. Según una encuesta de la Subsecretaría de Asuntos Educativos de la SEP en México, el consumo de drogas en las escuelas se ha incrementado 300%.[6]

Un documento interno de la Secretaría de Seguridad Pública da cuenta de la gran cantidad de planteles ubicados en el Distrito Federal que enfrentan problemas de drogas y vandalismo. Ocho delegaciones concentran a las 236 escuelas con tales características. En Iztapalapa, por ejemplo, existen 63 planteles de primaria y 37 de secundaria donde el problema de consumo de estupefacientes se considera como muy grave. En tal demarcación, 94 de cada 100 adolescentes entrevistados admitieron conocer las drogas y 56 de cada 100 afirmaron tener un amigo que usa cocaína o marihuana frecuentemente. En Gustavo A. Madero, 25 y 10 planteles de primaria y secundaria, respectivamente, se hallan inmersos en la misma situación, mientras que, en Cuauhtémoc, se señalan 17 y 14 planteles. "El reporte no establece el tipo de estupefacientes que se usan, aunque sí reporta que la venta y distribución de drogas se realiza en locales comerciales o inmuebles cercanos a las escuelas".[7]

El papel activo que ejerce el ambiente escolar en la obtención de sustancias ilícitas se refleja en las encuestas, las cuales mencionan, entre los distintos lugares donde los estudiantes pueden obtener drogas, la escuela, precedida por el hogar propio o el de un amigo, las fiestas y la calle.[8]

Algunos factores de riesgo en el ámbito escolar son:

- *Poco interés del adolescente por la escuela o fallas en el desempeño escolar.* Son factores que predicen la experimentación y el uso moderado de drogas. Los docentes entrevistados en las encuestas estudiantiles comentaron que la ingestión de alcohol se asocia con: bajo rendimiento escolar (71%), problemas de atención (46,7%), inasistencia a clase (43,6%) y vandalismo (34,3%).
- *Problemas progresivos de conducta en la escuela a temprana edad.*
- *Comportamiento agresivo, tímido o inapropiado en el salón de clase.*
- *Creencia de que el consumo de drogas es aprobado por el ambiente escolar, los compañeros y la comunidad.*
- *Dificultades interpersonales con los maestros y los amigos.*
- *Pérdida del sentido de pertenencia a la escuela.*
- *Problemas escolares en la segunda infancia.*
- *Transición de la educación básica (primaria) a la media (secundaria).*
- *Asociarse con amigos que consumen drogas* o presentan un comportamiento desviado o cercano a éste es el principal factor que predice que un adolescente inicie, continúe el uso o, más aun, abuse de las drogas. De hecho, en la adolescencia los amigos se convierten en la influencia más importante.

Ámbito social

Los factores de riesgo incluyen:

- *Insuficientes conocimientos prácticos para hacerle frente a la sociedad y establecer relaciones con los demás.*
- *Tolerancia social.* Percepción de que los familiares, maes-

tros y amigos aprueban la conducta relacionada con el consumo de alcohol o sustancias psicoactivas. El hallazgo más importante de diversos organismos encargados de estudiar la farmacodependencia en adolescentes y adultos jóvenes consiste en que cuanto más crean y sepan estos muchachos que una droga específica los dañará, menor número de ellos la consumirá. Desgraciadamente, en tanto se incrementa su desconocimiento de que el peligro existe, aumenta el riesgo de los muchachos de consumir las sustancias. De ahí la necesidad de que las familias y los jóvenes manejen información seria sobre los efectos que produce el consumo de distintas sustancias en el organismo.[9]

- *Realizar actos antisociales o tener amigos usuarios o que han cometido actos antisociales*. La tolerancia ante el alcohol o el uso de sustancias por parte de los amigos también representa un factor importante: a mayor tolerancia, se predice el consumo y abuso de bebidas alcohólicas. La ENA 1998 reveló que los amigos o conocidos son las personas que con mayor frecuencia ofrecen droga por primera vez, sobre todo la marihuana y la cocaína, y que la escuela y las reuniones de jóvenes son los lugares donde se obtienen.
- *Que los adolescentes perciban las sustancias como disponibles o tengan fácil acceso a ellas.*
- *Presencia de drogas en fiestas.*
- *Insatisfacción con la calidad de vida.*
- *Intensa exposición a mensajes sobre consumo de alcohol o drogas ilícitas en los medios de comunicación.*

- *Disponibilidad y acceso a lugares públicos donde se consumen drogas.*
  - "En general, los adolescentes compran alcohol en tiendas o beben en lugares destinados para el consumo sin que se les pida identificación, además tienen poca información sobre los niveles de consumo de riesgo. Estudios realizados en los lugares donde los jóvenes consumen esta sustancia han mostrado la relación entre las prácticas comerciales —tales como las barras libres, los concursos y las promociones— y la embriaguez de los asistentes que, con frecuencia, incluyen a menores de edad. Estos estudios también muestran el elevado índice de menores que conducen en estado de intoxicación y que no usan el cinturón de seguridad (72%)".[10]
  - Hoy, la droga se encuentra al alcance de cualquier persona. Basta para ilustrar las proporciones en que esto ocurre la noticia de que la Procuraduría de la República de México detectó que, únicamente en la Delegación Cuauhtémoc del Distrito Federal, existen unos 400 puntos de venta de cocaína.
  - La globalización abarca también el mundo de las drogas. Los acontecimientos del 11 de septiembre afectaron de manera importante el paso de las sustancias ilícitas originarias de México y otras naciones suramericanas a Estados Unidos. Gran cantidad de la mercancía que no puede entrar a través de las fronteras de ese país —hoy vigiladas como nunca— se queda en México y estas naciones. Por consiguien-

te, hay una mayor disponibilidad de distintos tipos de sustancias y su precio ha bajado ostensiblemente. Ya no existen, entonces, las limitaciones de hace dos décadas, cuando la droga era muy cara y difícil de obtener.

Factores de protección

Los factores de protección son aquellos factores interpersonales, sociales, de influencia ambiental e individual inherentes a los ambientes clave donde se desarrollan los niños y los jóvenes —escuela, hogar, comunidad— y que eliminan, disminuyen o neutralizan el riesgo de que un individuo inicie un proceso adictivo. No son necesariamente lo opuesto a los factores de riesgo. Pueden clasificarse en tres categorías:

Desarrollo de relaciones de amistad

- *Establecer relaciones sanas* con los miembros de su familia, compañeros del colegio y de clubes o asociaciones propicia que los jóvenes desarrollen un factor protector importante para crecer en un ambiente libre de drogas. Para lograr que desplieguen relaciones de amistad, los jóvenes requieren:

  a) Oportunidades de contribuir en su comunidad, en su familia, en la escuela y con sus compañeros.
  b) Habilidades necesarias para aprovechar las oportunidades que se les presentan.
  c) Reconocimiento, es decir, hacerles saber que se les valora.

- *Contar con ligas familiares fuertes.* Un estudio efectuado entre niños y jóvenes trabajadores mostró que uno de los factores de protección más importantes contra el uso de drogas en México radica en que el menor viva con su familia; quienes se encuentran en esta situación trabajan en sitios donde la droga está menos disponible y tienden a rechazar más su uso. Así, mientras 4,5% de los que viven con su familia afirmaron haber usado drogas, 28% de aquellos que ya no viven con ella las han usado.[11]
- *Conocer a sus amigos y compañeros de escuela, sin rechazarlos por su apariencia o por la primera impresión que les causen.*
- *Experiencia de vigilancia paterna,* con reglas claras de conducta (no autoritarias) que sean aceptadas por el grupo familiar como justas y viables.
- *Participación de los padres en las actividades que interesan a sus hijos* en las distintas etapas de su vida. Si están familiarizados con los distintos aspectos de la vida de sus muchachos, será más fácil para ellos establecer una estructura y límites.
- *Fuertes ligas con instituciones como la escuela y organizaciones religiosas.* Para los padres, adquiere gran importancia visitar la escuela de sus hijos, interesarse por los programas para la prevención de drogas y alcohol y hablar con los maestros y directores para participar en ellos.
- *Éxito en el desempeño escolar.* La asistencia a la escuela actúa como un factor protector contra el inicio de uso de sustancias ilícitas. En la ENA 1998 se observó que el índice de consumo de drogas entre los menores de 12 a 17 años que por alguna razón habían abandonado la es-

cuela, superaba en más de tres veces al de aquellos que continuaban estudiando.

- La noción que un muchacho llegue a tener de sí mismo depende, en gran medida, de su habilidad para desempeñarse en la escuela. La autoestima social ("la confianza que cada estudiante tiene para hacer nuevas amistades y mantenerlas") resulta fundamental durante la transición a la secundaria o en los últimos grados de la primaria. El doctor David Hamburg[12] señala cuatro cualidades esenciales para aprovechar las enseñanzas de la escuela:

  a) Desarrollar la habilidad para postergar las gratificaciones. Ésta resultará básica en la realización de cualquier tipo de esfuerzo en nuestra vida, desde obtener un título universitario hasta iniciar un régimen alimenticio.
  b) Ser socialmente responsable en la forma adecuada.
  c) Mantener el dominio de las propias emociones.
  d) Partir de una actitud optimista.

Desarrollo de convicciones claras y normas sanas

- *Establecer normas de conducta claras y positivas.*
- *Brindar apoyo en forma consistente.*
- *Especificar de manera firme las consecuencias por transgredir las normas establecidas.*
- *Hacer que los jóvenes se comprometan con el logro de los objetivos de los grupos a los cuales se ligan o asocian.*
- *Fomentar la práctica de deportes y actividades culturales.*
- *Adoptar, por convencimiento y decisión personal, valores*

y tradiciones familiares que no acepten el uso de sustancias adictivas.

Desarrollo de características individuales

Entre éstas pueden estar: autoestima, asertividad, manejo de las emociones y de la agresividad, actitudes sociales positivas, inteligencia, salud integral y otras peculiaridades personales que se tratarán en el capítulo sobre *resiliencia*.

6 La adicción al alcohol etílico (etanol)

El etanol es una sustancia que se obtiene a través de la fermentación de diversos granos, frutos y plantas, y se encuentra en diferentes proporciones en las bebidas alcohólicas. Produce efectos complejos en las personas, que pueden ser agradables o desagradables, estimulantes o sedantes. Los efectos del alcohol dependen de la cantidad que se beba, de si la forma de hacerlo es crónica o intermitente, de las expectativas del bebedor y su personalidad, de la situación ambiental que rodea al sujeto y de su predisposición genética a la dependencia al alcohol.

Para algunos expertos, el alcohol, la droga legal de mayor consumo en el mundo, resulta la más dura, por varias razones, entre las que se encuentran: a) su uso está socialmente aceptado, b) con frecuencia se emplea como droga de inicio para consumir otras sustancias (se dice que ya no existe el alcohólico puro, pues los adictos combinan esta droga con otras para reforzar sus efectos), y c) gran cantidad de accidentes y muertes se producen a causa de su abuso.

Alcoholismo

Aunque existe mucha controversia en torno a la etapa en la cual alguien deja de ser consumidor para convertirse en abusador, puede decirse que una persona presenta problemas con el alcohol cuando su manera de beber interfiere con su vida diaria, y se vuelve alcohólica en el momento en que depende física o psicológicamente de esta sustancia. El alcoholismo se define como la "alteración conductual crónica, manifestada por la ingestión repetida de bebidas alcohólicas en exceso de los usos dietéticos y sociales de la comunidad y hasta el punto de interferir con la salud del bebedor o con su vida económica o social".[1]

La dependencia al alcohol es un trastorno crónico en cuyo desarrollo intervienen factores genéticos, psicosociales y ambientales. Según el *Manual estadístico de los trastornos mentales*, se caracteriza por el aumento de la tolerancia a los efectos del alcohol, la falta de control para beber y en que, a pesar de las consecuencias desfavorables, el individuo sigue bebiendo.

Las personas que consumen alcohol durante largo tiempo y de forma excesiva desarrollan un deseo consciente o una urgencia de beber (***craving***), que les conduce a pensar continuamente en la sustancia y a que aumenten sus probabilidades de volver a ingerirla. Tras realizar numerosos estudios relacionados con la química cerebral se ha llegado a la conclusión de que, al parecer, sustancias como la serotonina, la dopamina y la noradrenalina tienen relación con la capacidad reforzadora del etanol en el mantenimiento de la "conducta de beber".

Entre 90% y 98% del etanol ingerido se oxida y **metaboliza** en el cuerpo; el resto se elimina en forma inalterada. La velocidad de eliminación del etanol es de 10 mililitros por hora en un hombre con un peso corporal promedio de 70 kilogramos. Las mujeres, independientemente de su peso, metabolizan el etanol con mayor lentitud.

Los patrones de abuso del alcohol varían. Un alcohólico puede beber a escondidas, a solas e incluso por las mañanas. Algunos sujetos se embriagan diariamente. Otros, sólo en determinadas ocasiones, como los fines de semana. Unos más no beben durante largos períodos, pero cuando lo hacen pueden dedicarse a ello por semanas o meses.

Responder las siguientes preguntas puede ayudar a un adolescente o un joven a determinar si tiene problemas con su forma de beber:[2]

- ¿Se considera incapaz de controlar la bebida? Aunque había decidido no volver a hacerlo después de la resaca provocada por su última "parranda", ¿termina siempre bebiendo demasiado?
- ¿Bebe una o varias copas cuando se siente "deprimido" o tiene un problema?
- Aunque es de carácter reservado, ¿se convierte en "el alma de la fiesta" después de beber unas copas?
- Cuando bebe, ¿cambia de personalidad para transformarse de *Dr. Jekyll* en *Mr. Hyde*?
- ¿Puede seguir bebiendo después de que todo el mundo ya se encuentra "tirado debajo de la mesa"?
- ¿Se le dificulta recordar lo que sucedió cuando estuvo bebiendo?
- ¿En ocasiones ha tenido problemas en la casa, la escuela o el trabajo como consecuencia de haber estado bebiendo?

- ¿Le han dicho, su familia o amigos, que están preocupados por su forma de beber?

Síntomas

- Cambios en la personalidad.
- Lagunas mentales.
- Aumento progresivo de la cantidad de bebida.
- Negación del problema.

Efectos[3]

A corto plazo:

- Dependencia, tanto psíquica como física.
- Desinhibición.
- Tendencia a discutir.
- Agresividad.
- Cambios intensos en el estado de ánimo.
- Deterioro de la atención.
- Juicio alterado.
- Interferencia con el funcionamiento personal.
- Marcha inestable.
- Dificultad para mantenerse en pie y para articular palabras.
- Disminución del nivel de conciencia.
- Enrojecimiento facial.
- Enrojecimiento de ojos.
- Alteraciones en la percepción.
- Malestares gastrointestinales.

A largo plazo:

- Daños al hígado, corazón, pulmones, páncreas, sistema nervioso, estómago y riñones.
- Hipertensión arterial.
- Problemas digestivos como úlceras.
- Pérdida del apetito.
- Deficiencias vitamínicas.
- Problemas en la **capacidad inmunológica** del organismo.
- Senilidad prematura, alteraciones en la memoria.
- Hipotensión e hipotermia (en casos graves).
- Disminución en la producción de esteroides, como la testosterona en los varones, y estrógeno y progesterona en las mujeres, con repercusiones obvias en la función sexual.
- Cambios en el estado de ánimo y la coordinación motriz.
- Daños en la memoria a corto plazo ("lagunas").
- Somnolencia, **coma** y muerte por sobredosis.
- Violencia.
- Accidentes (más de la mitad de todos los accidentes se relacionan con el consumo de alcohol).
- Segregación social y dificultades en el trabajo y en el hogar.
- Cáncer: "El alcohol es un cancerígeno que actúa concertadamente con el tabaco. Sin embargo, se conoce muy mal su acción directa, porque los animales de laboratorio se niegan a ingerir bebidas alcohólicas. Por lo tanto, no hay un modelo de experiencia que permita estudiar

las modificaciones fisiológicas a que da lugar. Se cree que uno de los factores que influye es su acción disolvente, que modifica las células de las paredes intestinales hasta el punto de facilitar anormalmente el paso de las sustancias cancerígenas presentes en los intestinos". El consumo de 30 a 40 gramos de alcohol puro al día multiplica por dos el riesgo de cáncer; 40-80 gramos, por cuatro; 80 a 100 gramos, por diez y, más de 100 gramos, por 20.[4]

Cifras ilustrativas

- Entre los pacientes atendidos por los CIJ, en 36,7% de los diagnosticados con síntomas de **neurosis** y 60% con trastorno afectivo, la droga de inicio fue el alcohol. De aquellos pacientes cuyo motivo de hospitalización fue el trastorno mental orgánico, 56,2% mencionaron que la primera sustancia de uso fue el alcohol.
- El alcoholismo constituye la principal causa de muerte de jóvenes en accidentes. La edad de inicio en el consumo de alcohol se concentra en el grupo de los 15 a los 19 años en 58,1% de los sujetos, pero una cuarta parte dijo haber comenzado entre los 12 y los 14 años; 48% de los usuarios reportaron por lo menos la existencia de un problema, generalmente de tipo familiar.[5]
- El abuso de alcohol, por sí solo, representa 9% del peso total de las enfermedades en México. Los padecimientos asociados con alcoholismo que provocan una mayor pérdida de días de vida saludable son: la cirrosis hepática (39%), la dependencia alcohólica (18%), las lesiones por accidente de vehículos de motor (15%) y los homicidios (10%).[6]

- En 1994, el consumo *per cápita* anual en México era de 5,54 litros de alcohol absoluto para la población mayor de 15 años. Este índice ha sufrido fluctuaciones de acuerdo con el desarrollo económico nacional, a saber: en 1970, 3,82 litros; en 1980, 6 litros, y en 1984, 4,48 litros.[7]
- Si comparamos su consumo *per cápita* (5,54 litros) con el de otros países, las cosas no van tan mal para México: Francia consume 2,7 veces más alcohol, con 13 litros; España, 2,2 veces más, con 11,09 litros; Argentina consume 9,58 litros; Venezuela, 9,41; Estados Unidos, 8,9; Uruguay, 8,17; Chile, 7,06; Colombia, 6,41; Costa Rica, 5,72, y Brasil, 5,57 litros.[8]
- Pero no hay que ser demasiado optimistas: según datos de la OMS, en México, entre 1970 y 1996, el consumo de alcohol *per cápita* aumentó 39%; en Brasil, 74% y en Costa Rica, 34%, mientras que en el mismo período otros países presentaron una tendencia hacia el decremento en el consumo: en Francia disminuyó 24%; en España, 34%; en Chile, 43%; en Argentina, 44% y en Perú, 40%.
- Como consecuencia del elevado índice de consumo de alcohol, México se ubica entre los primeros lugares de mortalidad por cirrosis hepática en el mundo, con una tasa de 22 muertes por cada 100 mil habitantes. Entre 1970 y 1995, la mortalidad por esta causa aumentó, entre los hombres, 72% y, entre las mujeres, 13%.
- En Estados Unidos, los jóvenes menores de 18 años ingieren 25% de todo el alcohol que se consume en el país.
- En un día promedio en los colegios universitarios de Estados Unidos, cuatro estudiantes mueren en accidentes que involucran alcohol, 1 392 sufren daños relacio-

nados con la bebida y —según estimaciones— 192 son violados en sus citas o asaltados sexualmente después de beber. Además, 8% de los universitarios (de un universo de 400 mil) admitieron haber tenido relaciones sexuales sin protección cuando se encontraban en estado etílico. Existe evidencia de que el hábito de beber de dichos jóvenes, que antes se reducía a los sábados por la noche, se trasladó también a los viernes y a los jueves por la noche.[9]

Focos rojos

- Con el fin de abarcar a la población joven y diversificar su mercado, las firmas alcoholeras han desarrollado nuevas bebidas, presentaciones y envases novedosos; su apariencia atractiva, un sabor dulce a frutas y su "bajo contenido en alcohol" (un promedio de 5 a 7 grados) hace creer a los jóvenes que son inocuas. La variada oferta de cocteles —marcas como *Caribe Cooler, Bacardí Breezer* (cuyo eslogan es "se vale zer"), *Xtreme Bar, Bartles & Jaymes, Viña Real, Zu Zu, Spirit* (*Energy*) y *New Mix* (*Jimador*)—, nos lleva a pensar que se trata de un mercado nada despreciable. Lo anterior, sumado a las campañas de mercado, ha propiciado modificaciones en los hábitos de consumo, pues va dirigido a la población adolescente, que comienza por ingerir estos cocteles hasta habituarse a ellos y consumir bebidas más fuertes.
- *Mountain Dew* figura como ejemplo ilustrativo de los nuevos nichos de mercado a los que se dirigen las compañías de refrescos. Esta bebida que el grupo Pepsico

lanzara hace unos meses "para jóvenes de corazón, es fresca, da ánimos, es diferente, es nueva y contiene de las dosis más altas de cafeína en la categoría de refrescos (...) Los que por primera vez prueban *Mountain Dew*, experimentan un sabor dulce y, al poco tiempo, un flujo de energía conocido comercialmente con su eslogan '*Doing the Dew*'. En ciertos consumidores, el producto también les induce sentimientos de extrema confianza e invulnerabilidad, llevándolos a comprometerse en actividades de alto riesgo como el *bungee* o el paracaidismo. O cuando menos así nos lo han hecho creer con sus campañas de comunicación (...) *Mountain Dew* astutamente se enfoca a los adolescentes, que todavía no tienen sus gustos del todo fijos, y que se caracterizan por 'no querer tomar la misma bebida de papá y mamá' (...) La *Office of the Surgeon General* lanzó en el 2000 una advertencia en la que el constante uso de *Mountain Dew* —bebida cafeinada y adictiva, popular entre los círculos de jóvenes— puede llevar al uso de bebidas mucho más fuertes como *Surge*, *Jolt* o inclusive al café expresso".[10]

- No hay mucho que agregar ante lo que se presenta claramente como una estrategia de penetración en el mercado de niños y adolescentes, a quienes la citada empresa parece conocer muy bien, aunque no se interese en ellos más que como consumidores de *Mountain Dew* —sin pensar en los posibles efectos de beberla reiteradamente—. Los creadores del refresco, ¿se lo darán a beber también a sus hijos?
- "Lo más grave es que, como han demostrado los científicos norteamericanos y franceses, el adolescente que

haya abusado durante años de bebidas hiperglicemiantes [refrescos de cola y otras bebidas azucaradas] se halla muy bien dispuesto para pasar sin transición al alcoholismo".[11]

- "Los estudios sobre mortalidad señalan que la expectativa de vida de una persona que abusa del alcohol siendo aún joven es de cinco a diez años menor a la del individuo no alcohólico".[12]

Algunos mitos y realidades acerca del alcohol[13]

Mito: La mayoría de los alcohólicos son vagos de la calle.

Realidad: Sólo de 3% a 5% de los alcohólicos viven en condiciones de indigencia.

Mito: Pocas mujeres se convierten en alcohólicas.

Realidad: En los años 50, había cinco o seis hombres alcohólicos por cada mujer. El consumo en el sector femenino se ha incrementado en los últimos años, pues la tasa de abstención se redujo de 83% en 1988 a 55% en 1998.

Mito: No conozco a ningún alcohólico.

Realidad: Los alcohólicos no parecen diferentes a los demás porque tratan de ocultar su enfermedad hasta de ellos mismos. Quizá, sin que lo sospeche, alguno de sus amigos tiene problemas con su manera de beber.

Mito: El abuso de drogas representa el verdadero problema en nuestra sociedad.

Realidad: El alcohol, una droga en realidad, figura como el problema de adicciones número uno. Mientras que 300 mil estadounidenses son adictos a la heroína, 10 millones son alcohólicos.

Mito: "¿Por qué no voy a tomarla? Sólo es cerveza".

Realidad: Una cerveza o un vaso de vino contienen la misma cantidad de alcohol que un vaso de ron mezclado con coca-cola. El efecto aparece más lentamente, pero una persona puede emborracharse igual con cerveza, con vino o con cualquier otro licor fuerte. En México, la cerveza constituye la bebida de preferencia (63% del consumo *per cápita*), seguida de los destilados (34%) y, muy de lejos, por los vinos (1%).

Mito: El alcohol es un estimulante.

Realidad: El alcohol es igual de estimulante que el éter y puede causar excitación psicológica temporal. De cualquier manera, cuando se metaboliza, actúa como un depresor del sistema nervioso central.

Mito: El alcohol es un estimulante sexual.

Realidad: Contrario a la creencia popular, cuanto más alcohol se consume, menor es la capacidad sexual. En *Macbeth*, Shakespeare decía: "Lujuria, señor, provoca, y no provoca; provoca el deseo, pero se lleva la obra".

Mito: "Sólo me considero un bebedor social".

Realidad: El hecho de que una persona no beba alcohol, salvo en reuniones sociales, no significa que no pueda presentar un problema de alcoholismo. Muchos de los llamados "bebedores sociales" se convierten en alcohólicos.

Mito: Sólo se cataloga como alcohólico a quien bebe todos los días.

Realidad: Los expertos han concluido que no importa cuándo se beba, sino cuánto y por qué.

Mito: Un buen anfitrión nunca permite que el vaso de su invitado permanezca vacío.

Realidad: No hay algo de hospitalario en obligar a alguien a ingerir alcohol o consumir cualquier otra sustancia. Un buen anfitrión no desea que sus invitados se emborrachen o se enfermen, sino que se diviertan y al día siguiente recuerden lo sucedido.

Mito: La gente se muestra más amigable cuando se embriaga.

Realidad: Tal vez. Pero también, a veces, las personas se tornan más hostiles, peligrosas, criminales y suicidas. La mitad de los asesinatos y un tercio de los suicidios están relacionados con el alcohol.

Mito: Si los padres no beben alcohol, sus hijos tampoco lo harán.

Realidad: Algunas veces es verdad, pero no resulta tan fácil predecirlo. La más alta incidencia de alcoholismo se da entre los descendientes de padres abstemios o alcohólicos; las actitudes extremas de los padres son un factor de riesgo importante.

Mito: La gente que bebe demasiado alcohol sólo se hace daño a sí misma.

Realidad: Los bebedores se hacen daño a sí mismos y les hacen daño a sus familiares, a sus empleados, a extraños en la carretera o en la calle, a todos los que, en un momento dado, se encuentran con ellos. En 1998, 8 millones de mexicanos afectaron con su alcoholismo a más de 32 millones de personas.[14]

Mito: Es preciso enseñar a los niños a “beber bien”.

Realidad: Esta costumbre puede resultar muy perjudicial porque, mientras más tarde se inicien los muchachos en el consumo, correrán menos riesgos de volverse alcohólicos.

Mito: “Soy libre de beber cuanto quiera, al fin y al cabo regresaré a casa con un ‘conductor designado’”.

Realidad: Viajar con un “conductor designado” no justifica el hecho de que los jóvenes se embriaguen. Éste puede ser el principio de una adicción.

¿Cómo prevenir el alcoholismo?

- Identifique en usted o en sus familiares los signos de estrés emocional. Trate de entender y resolver las causas de su depresión, ansiedad o soledad. No recurra al alcohol u otras drogas para enfrentar los problemas.
- Si bebe, hágalo moderadamente. Cuando tenga reuniones y fiestas, ofrezca también bebidas no alcohólicas. Los hijos aprenden con el ejemplo.
- Si existen antecedentes de alcoholismo en la familia, preste especial atención. Existe una predisposición genética a desarrollar alcoholismo.
- No consuma alcohol cuando esté bajo tratamiento con medicamentos. Muchos fármacos provocan reacciones adversas al combinarse con esta sustancia.

¿Qué hacer ante el alcoholismo?

- Reconozca y afronte que usted o algún miembro de la familia padecen este problema. Consulte inmediatamente a un médico o psicólogo.
- Infórmese. Asista a una reunión de Alcohólicos Anónimos o de Al-Anon. Éstos son grupos de autoayuda para dejar de beber. Consulte libros o literatura sobre el tema.
- Nunca haga caso omiso del problema. El alcoholismo es una enfermedad crónica, progresiva y mortal, si no se atiende a tiempo.

7 La farmacodependencia

No me he podido consolar desde que
mi novia me dejó,
no me consuela la mota, ni las pastas,
ni el alcohol.
CANCIÓN DEL TRI, grupo de
rock mexicano

La farmacodependencia consiste en el uso de drogas como marihuana, cocaína, heroína y otras "drogas callejeras" y el abuso de algunos medicamentos psicotrópicos (tranquilizantes, sedantes, píldoras para el dolor y anfetaminas), como medio para realizar un "viaje" o para enfrentar el estrés y los problemas emocionales. Se considera que hay dependencia o adicción a una droga cuando existe una necesidad física o psicológica de esa sustancia y una conducta persistente de búsqueda de esa droga.

El término **droga** se utiliza para referirse a aquellas sustancias que provocan una alteración del estado de ánimo y son capaces de producir adicción. Incluye no sólo a las sustancias que popularmente son consideradas como drogas por su condición de ilegales, sino también diversos psicofármacos y sustancias de consumo legal como el tabaco, el alcohol o las bebidas que contienen xantinas, como el café, además de sustancias de uso doméstico o laboral como las colas, los pegamentos y los disolventes volátiles. Algunas drogas son utilizadas a nivel clínico para tratar ciertas enfermedades y como complemento de algunas terapias.

Los trastornos relacionados con el consumo de drogas son, en su mayoría, de carácter crónico, irreversible, incapacitante y letal, como: **psicosis** debida a drogas, dependencia a diversos tipos de sustancias y abuso de drogas sin dependencia.

En la Ley General de Salud aparece la siguiente clasificación de las sustancias identificadas como estupefacientes:

a) Las que tienen escaso o nulo valor terapéutico y que, por ser susceptibles de uso indebido o abuso, constituyen un problema especialmente grave para la salud pública: LSD, Mdma o éxtasis, mezcalina y hongos alucinantes.
b) Las que tienen algún valor terapéutico, pero constituyen un problema grave para la salud pública: anfetaminas y barbitúricos (hipnóticos y sedantes).
c) Las que tienen amplios usos terapéuticos y significan un problema menor para la salud pública: **cafeína**.
d) Las que carecen de valor terapéutico y se utilizan corrientemente en la industria: cementos, aerosoles, soluciones limpiadoras, removedores de pintura, etcétera.

Entre los indicadores de riesgo que pueden llevar a los jóvenes a un consumo problemático de drogas, Castro ha encontrado los siguientes: consumo frecuente de una sola droga, consumo experimental de más de una sustancia, consumo experimental de marihuana, consumo de marihuana y cocaína y consumo elevado de alcohol.

Antecedentes

En los años 60 en México, cuando la demanda de drogas no alcanzaba aún proporciones preocupantes —aunque ya comenzaba a registrarse un crecimiento en el consumo interno— comenzó a prestarse cierta atención a los problemas relacionados con el consumo de sustancias.

Sólo hasta 1984 la Ley General de Salud consideró, por primera vez, a la farmacodependencia, el alcoholismo y el tabaquismo como problemas de salud pública. En 1986 se creó el Consejo Nacional contra las Adicciones (Conadic), presidido por la entonces Secretaría de Salubridad y Asistencia (hoy Secretaría de Salud), que constituye la instancia máxima de decisión del Gobierno Federal en materia de reducción de la demanda de drogas. Ese mismo año se publicó el Programa contra la Farmacodependencia.

No obstante, el país carecía de estadísticas que indicaran hacia dónde se orientaba el consumo. A partir de la primera Encuesta Nacional de Adicciones (ENA), llevada a cabo en 1988, se empezó a medir el problema en cifras. Posteriormente, con las encuestas de 1993 y 1998 —además de las encuestas realizadas en la población infantil, el Sistema de Vigilancia Epidemiológica de las Adicciones (Sisvea) y el Sistema de Reporte de Información en Drogas (Srid)— pudo disponerse de elementos fundamentales para conocer la tendencia en el consumo de drogas. Sin embargo, obtener información sobre el tema no resulta una tarea fácil porque subsiste el estigma de que el consumo de sustancias constituye un vicio, y por lo tanto una vergüenza para la familia, que trata de ocultarlo el mayor tiempo posible.

Tendencias del abuso de drogas

De acuerdo con distintas investigaciones realizadas por Medina-Mora y sus colaboradores, México ha dejado de ser un lugar de tránsito de drogas para convertirse en un país consumidor.

En los años 60 prevalecían el consumo de inhalables entre los menores y de marihuana entre los jóvenes y algunos adultos. Recientemente, a éstos se sumó el uso de cocaína, que está creciendo a nivel nacional, hasta llegar a los niños y a los sectores pobres de la población —por su abaratamiento y, en consecuencia, menor calidad—. En los adultos, ha cobrado importancia el consumo por vía intravenosa. Según cifras del Conadic, el consumo de cocaína ha aumentado en más de 300% en las últimas tres décadas. Además, han aparecido en el mercado nuevas sustancias, como las metanfetaminas y nuevas presentaciones de las drogas ya conocidas, como la cocaína *crack*. También han comenzado a usarse drogas médicas que antes no se utilizaban con fines de intoxicación, como el *Refractil Ofteno*®, y el flunitrazepam (*Rohypnol*®).

El aumento en el índice de consumidores no es el primero que ocurre en México. El más cercano, en los años 70, se refiere al consumo de marihuana entre soldados y otros grupos de bajo nivel socioeconómico, al igual que por jóvenes de todas las clases sociales que la utilizaron como símbolo de rebelión durante el movimiento *hippie* en el país. También, en esa época, los jóvenes urbanos experimentaron con plantas alucinógenas locales utilizadas como parte de los rituales mágico-religiosos de varios grupos indígenas del país.

Igualmente, el consumo de inhalables registró un rápido crecimiento: de 0,9% en 1976 a 5,4% en 1978. Encuestas realizadas por el Instituto Nacional de Psiquiatría entre estudiantes de enseñanza media y media superior muestran que el abuso de inhalables ya no ocurre sólo entre las clases más desfavorecidas, sino también en la clase media. Recientemente, el uso de inhalables ha disminuido porque los jóvenes están cambiando su preferencia hacia otras sustancias.

Con respecto a la heroína, se detecta un brote epidémico en algunas regiones de la frontera norte, pues una característica de esta sustancia es que el consumidor suele ubicarse donde le resulta fácil obtenerla. Este repunte ha aparecido en los barrios de las clases más desfavorecidas de Tijuana y Ciudad Juárez, donde se ubican los llamados "**picaderos**". Las investigaciones han señalado que los adolescentes consumen esta sustancia, pero afortunadamente existe poca evidencia de consumo en otras regiones del país. Las campañas oficiales para erradicar la demanda de heroína no han sido suficientes. Con motivo del Día Internacional de la Lucha contra el Uso Indebido y el Tráfico Ilícito de Drogas, el presidente Vicente Fox declaró que, en tres meses, en Tijuana "se han logrado cerrar 1 400 de los llamados 'picaderos', lugares donde precisamente se expende o se aplica la droga en pequeñas dosis".[1]

México en el marco internacional

Al igual que en México, la marihuana constituye una de las sustancias más consumidas por la población estudiantil de otros países, aunque existen diferencias. México, junto con Austria, Colombia, Finlandia, Grecia, Guatemala, Luxemburgo, Portugal y Suecia, se encuentra en el grupo de consumo bajo, pues existen prevalencias menores a 10% de la población.

La cuestión cambia en el rubro de la cocaína, ya que los estudiantes mexicanos que la han utilizado alguna vez en la vida conforman, junto con Chile, Estados Unidos y Guatemala, el grupo de consumo alto —con prevalencias de 3% o más.

Si comparamos el uso de drogas en México y Estados Unidos, ese país presenta prevalencias de consumo más elevadas que el latinoamericano en todas las drogas y en todos los grupos de edad. Así, 237 de cada mil jóvenes estadounidenses y 32 de cada mil mexicanos han usado drogas alguna vez en su vida, lo cual quiere decir que en Estados Unidos existen siete jóvenes por cada uno de México. En la marihuana, la relación es de 13 a 1; en los inhalables, de 11 a 1; en la cocaína, de 5 a 1; en los alucinógenos, de 54 a 1 y en la heroína, de 12 a 1.

Algunos mitos y realidades acerca de la farmacodependencia[2]

Mito: Los adolescentes son muy jóvenes para ser adictos.

Realidad: Esta enfermedad puede ocurrir a cualquier

edad. Incluso, en el caso de mujeres embarazadas que utilizan drogas, sus bebés pueden nacer adictos.

Mito: "Puedo probar una vez y parar".
Realidad: Algunas personas abusaron de las drogas una vez y nunca volvieron a usarlas, pero muchos adictos comenzaron probando "sólo una vez" y se volvieron dependientes. Otros más probaron "sólo una vez" y no vivieron para contarlo.

Mito: Se puede parar el uso de drogas en cualquier momento.
Realidad: No es fácil detener el consumo de drogas. Los síntomas de reajuste, la dependencia psicológica y hallarse en un ambiente de personas que las consumen pueden hacer difícil detener su uso.

Mito: Es preciso utilizar drogas durante mucho tiempo antes de que éstas sean realmente dañinas.
Realidad: Las drogas hacen que el cerebro envíe señales equivocadas al cuerpo, lo cual puede ocasionar que una persona deje de respirar, padezca un ataque al corazón o entre en coma, incluso durante la primera vez que se prueba una sustancia.

Mito: Cuando se compra a los amigos o ***dealers*** conocidos, puede conseguirse droga pura.
Realidad: Debido a que las drogas son ilegales y sufren varios cortes para hacerlas rentables, nadie puede saber realmente de qué están compuestas.

Mito: Bajo la intoxicación con sustancias ilícitas se toca mejor un instrumento o aumenta la creatividad de las personas.

Realidad: Diversos estudios demuestran que no es así, pese a que el consumidor esté plenamente convencido de la excelencia de su ejecución o de su creación artística.

Mito: Desde el momento en que la persona se siente normal, significa que su cuerpo ha eliminado toda la droga que ha consumido.
Realidad: Las drogas permanecen en el cuerpo aún mucho después de que sus efectos se dejan de notar. Por ejemplo, tras un solo uso, sustancias como la cocaína y la marihuana dejan rastro hasta una y cuatro semanas, respectivamente.

Mito: La cocaína sólo causa adicción cuando es inyectada.
Realidad: De cualquier forma en que se consuma (fumada, aspirada o inyectada), la cocaína es rápidamente adictiva.

Mito: Solamente usan inhalables los miembros de la clase más desfavorecida de la población.
Realidad: Aunque ésta era una verdad en la década de los 70, para 1984 el índice de usuarios de inhalables era similar en escuelas ubicadas en zonas con diferente nivel socioeconómico.

Mito: Las drogas alivian el estrés y ayudan a la gente a enfrentar sus problemas.
Realidad: Las drogas sólo hacen olvidar y no preocuparse por los problemas. Cuando el efecto de la droga disminuye, los problemas siguen ahí.

Mito: Las drogas brindan mayor confianza en sí mismo.
Realidad: Ciertas drogas, como la cocaína, pueden dar

una breve sensación de confianza, pero ésta se desvanece rápidamente. Con el uso prolongado, aparecerán los efectos desagradables, según el tipo de droga, como alucinaciones, paranoia, ansiedad, depresión y un sinfín de malestares físicos.

Mito: La cocaína es una droga de recreación segura, por eso circula en las fiestas con tanta facilidad.
Realidad: Absolutamente falso. La cocaína y el *crack* son altamente adictivos y físicamente peligrosos. Su uso puede provocar un coma y la muerte.

Mito: "Si uso drogas, solamente me lastimo a mí mismo y a nadie más".
Realidad: El uso de drogas pone en peligro a otros: contribuye a los accidentes en las calles y el trabajo, al abuso de las parejas o los niños, al divorcio y a crímenes violentos.

Mito: "No me atraparán si las uso o las vendo en pequeña escala".
Realidad: No hay una forma de estar seguro, y el castigo puede resultar severo. Existen leyes en contra del tráfico y consumo de drogas.

Mito: Es seguro utilizar drogas mientras uno sea una persona estable.
Realidad: No se necesita tener problemas emocionales para que las cosas salgan mal mientras se está bajo el influjo de las drogas; usualmente se pierde el control sobre lo que sucede.

Mito: La mayoría de las personas recibe sus primeras drogas de un traficante.

Realidad: Distintas encuestas han arrojado datos en referencia a que sólo 4% de quienes se inician en el uso de drogas fueron introducidos por un *dealer*. El resto, por amigos, conocidos e incluso algún pariente.

Principales drogas ilegales que se consumen en México

Los avances en la prevención han demostrado que la educación sobre drogas no consiste sólo en brindar a los adolescentes y jóvenes información sobre los diferentes tipos de sustancias existentes, su forma de empleo y efectos, sino en prepararlos y fortalecerlos para evitar o rechazar su uso, como se verá en el capítulo sobre *resiliencia*.

Los organismos internacionales relacionados con este tema advierten sobre la inconveniencia de hablar a los jóvenes de aquellas drogas que no constituyen un problema real en la comunidad, como la heroína. Sin embargo, los adultos deben conocer la existencia de este tipo de sustancias, cuyo consumo ha aumentado de manera considerable en los centros turísticos y en las grandes ciudades de la frontera norte del país —en especial a raíz del férreo control fronterizo que empezó a practicarse en Estados Unidos después de los actos terroristas del 11 de septiembre de 2001.

Marihuana (*Cannabis*)[3]

La *mota, carrujo, churro, hierba, pasto, monte, moy, toque, hierba mala, herbajo, mafú, María, krips* o *kripto, pase, pot, refs,* y muchos nombres más con que se conoce la marihuana, es una combinación de hojas, tallos, semillas y flores de la planta conocida como cáñamo (*Cannabis sativa*), originaria de India, y que puede ser de color verde, café o gris.

Variedades

- *La "sin semilla"*. Se compone de los botones y las flores de la planta hembra. Contiene, en promedio, 7,5% de THC, pero puede llegar a tener hasta 24%.
- *El hachís (o hashish)*. La resina gomosa de las flores de las plantas hembras contiene desde 3,6% de THC hasta 28%.
- *El aceite de hachís (conocido como* hash oil). Se trata de un líquido resinoso y espeso destilado del hachís y cuyo promedio de THC oscila entre 16 y 43%.

En todas ellas, la marihuana altera las funciones normales del cerebro debido a que contiene el principal ingrediente químico activo de la *Cannabis sativa*, llamado THC (delta-9-tetrahidrocanabinol). La planta de la marihuana se compone de unas 400 sustancias químicas adicionales; recientemente, los cigarrillos o puros de marihuana pueden contener cocaína, *crack* o estar remojados con PCP (fenciclidina).

Usos

Se fuma en forma de cigarrillo (canuto, churro, moto), en una pipa de agua (conocida como **bong**) o en forma de puro.

Efectos

Varían en cada persona, de acuerdo con la potencia de la droga (su contenido de THC), las expectativas del usuario, el lugar y la forma en que se consume y, sobre todo, si se mezcla con alcohol u otras drogas. Al usar una variedad potente de la marihuana, pueden ocurrir efectos adversos, como ansiedad y paranoia.

A corto plazo

- Sensación de relajamiento, tranquilidad, mayor libertad y confianza.
- Aumento en la percepción de los colores, los sonidos y otras sensaciones.
- Aceleración del ritmo cardiaco.
- Enrojecimiento de los ojos.
- Sequedad de boca y garganta.
- Aumento del apetito.
- Reducción de la memoria y comprensión a corto plazo.
- Pérdida del sentido del tiempo.
- Alteración de la capacidad para realizar tareas que requieren concentración y coordinación.
- Paranoia y psicosis.
- Fallas en el juicio y la coordinación motriz.
- Dificultad para pensar claramente y resolver problemas.
- Ansiedad.

A largo plazo

- Enfermedades respiratorias y pulmonares.
- Disminución de los niveles de **testosterona**.
- Daños en el sistema de defensas del organismo (inmunológico).
- Enfisema pulmonar.
- Tos persistente y silbido respiratorio.
- Cáncer de bronquios (la marihuana contiene 50% más de hidrocarburos cancerígenos que el tabaco). Los estu-

dios muestran que una persona que fuma cinco cigarrillos de marihuana a la semana está consumiendo la misma cantidad de cancerígenos que quien fuma un paquete de cigarrillos al día.

Cifras ilustrativas

- El consumo de marihuana en México continúa en crecimiento, pues su uso pasó de 2,99% en 1988, a 3,32% en 1993 y a 4,70% en 1998 (ENA).
- La marihuana que se consume consiste en "una variedad fuerte de *Cannabis*, genéticamente modificada, no del tipo que usaba la gente hace 20 años, y no tenemos idea de los efectos que tendrá a largo plazo el uso intensivo que realizan algunos muchachos en la actualidad", señala Kate Hoey, miembro laborista del Parlamento Inglés, inconforme con la medida que despenaliza a los portadores de marihuana para uso personal en ese país. Se estima que 20% a 25% de los adultos de Gran Bretaña consumen marihuana. Dinamarca, Francia, Irlanda, Holanda y España presentan una tasa de consumo similar.[4]

Algunos mitos y realidades acerca de la marihuana[5]

Mito: Si fumas marihuana durante el fin de semana, estarás bien para ir a la escuela el lunes.
Realidad: Los efectos de la marihuana pueden durar hasta tres días, disminuyendo la memoria, los reflejos y la coordinación.

Mito: La marihuana y el hachís no hacen daño ni producen adicción.
Realidad: Los canabinoles causan daños severos como:

taquicardia, distorsión perceptiva y fallas en el juicio, la percepción motriz y la memoria. La marihuana puede producir adicción psicológica, en grados moderados a severos. Además, el consumo de ésta conduce al uso de drogas más fuertes, como se ha demostrado en estudios a largo plazo entre estudiantes de secundaria que, tras consumirla durante cierto período, pasaron a usar otras drogas ilegales. Otros estudios evidencian que cuando un individuo ha fumado marihuana en grandes cantidades durante años, la droga daña sus funciones mentales, afectando las partes del cerebro que controlan la memoria, la atención y el aprendizaje.

Mito: La marihuana no es tan dañina como los cigarrillos.

Realidad: El humo de la marihuana tiene más sustancias químicas cancerígenas que el tabaco.

Mito: Es posible saber cuándo se han agregado otras sustancias a la marihuana.

Realidad: Diversas sustancias químicas se añaden a la hoja de la marihuana sin que el fumador lo note. Drogas como PCP pueden ser rociadas en las hojas secas. Otras sustancias químicas que se emplean para matar a la planta o para hacerla crecer más rápido suelen rociarse antes de recogerla. También ocurre que las hojas de la marihuana se llenan de lama y, al momento en que el usuario inhala la droga, ese hongo se instala en su organismo, sobre todo en los pulmones.

Mito: Consumir marihuana está bien; no es peor que el alcohol.

Realidad: A diferencia del alcohol, que se elimina en horas, la marihuana puede permanecer en el organismo durante días.

Alucinógenos

Sustancias que distorsionan la percepción de la realidad objetiva. Los alucinógenos más conocidos son:

- PCP (fenciclidina). Sustancia química usada como tranquilizante para animales.
- LSD (dietilamida del ácido lisérgico). El más famoso de los alucinógenos es una sustancia semisintética proveniente de la modificación química de un núcleo del hongo del centeno, *Claviceps purpurea*. Este hongo contiene varios derivados activos que actúan en el sistema nervioso y en los vasos sanguíneos.
- *Mezcalina*. Sustancia que se obtiene del peyote, con efectos similares a los del LSD.

Bajo la influencia de los alucinógenos, los sentidos de dirección, distancia y tiempo se distorsionan. Estas drogas pueden producir un comportamiento errático, impredecible y violento en los usuarios, que a veces sufren severos daños o la muerte. El usuario puede sentir diferentes emociones a la vez o pasar de una emoción a otra. Dependiendo de la dosis, la droga produce delirios y alucinaciones visuales que pueden atemorizar y causar pánico; los usuarios se refieren a estas sensaciones adversas como un "mal viaje". Los efectos de los alucinógenos llegan a durar hasta 12 horas, pero cada persona reacciona de una manera diferente a ellos y no existe forma de predecir si alguien experimentará un "mal viaje". Jean Paul

Sartre experimentó en carne propia los prolongados efectos que puede traer consigo el consumo de grandes dosis de ciertos alucinógenos, pues el filósofo "se inyectó mezcalina en 1935, cosa que le dejó desquiciado durante un par de años y le hizo creer que le perseguían langostas por la calle".[6]

El LSD no produce un deseo compulsivo de obtención de la sustancia como la cocaína, el alcohol o la **nicotina**, pero sí genera tolerancia, de manera que quien consume LSD con frecuencia puede tomar dosis cada vez más altas para obtener el mismo grado de intoxicación. Esta práctica es extremadamente peligrosa, dados los efectos impredecibles de la droga, y puede derivar en riesgos cada vez mayores de sufrir convulsiones, coma, fallo respiratorio y pulmonar y, finalmente, la muerte.

Efectos físicos

- Ansiedad y temor.
- Dilatación de pupilas.
- Incremento del ritmo cardiaco y de la presión sanguínea.
- Insomnio y estremecimientos.
- Sudoración excesiva.
- Pérdida de apetito.
- Pérdida de coordinación muscular.
- Reducción de la percepción del tacto y del dolor, que puede derivar en lesiones autoinfligidas.
- Discurso incoherente, disperso.
- Convulsiones.
- Fallo cardiaco y respiratorio.

Efectos psicológicos

- Sensación de distancia y extrañamiento.
- Actos impulsivos.
- Depresión, ansiedad y paranoia.
- Comportamiento violento.
- Ilusiones o alucinaciones auditivas, visuales y táctiles, confusión y pérdida de control.
- Comportamiento similar al de la esquizofrenia.
- Síndrome catatónico donde el usuario se torna letárgico, mudo, desorientado y hace movimientos repetitivos y fuera de control.

Inhalables (inhalantes, disolventes volátiles o solventes)

Son vapores químicos que se respiran y producen alteraciones mentales. A pesar de que la gente está expuesta a los solventes volátiles u otros inhalables en su propia casa y en el lugar de trabajo, muchos no consideran estas sustancias como drogas porque la mayoría no ha pensado utilizarlas con el propósito de intoxicarse.

Los jóvenes son quienes más abusan de los inhalables, en parte por su disponibilidad y por su bajo costo. A veces los niños, intencionalmente, hacen uso inadecuado de los productos inhalables que encuentran en su casa; por eso, los padres deben mantenerlos bien guardados, para que sus hijos no tengan acceso a ellos.

A pesar de que la Ley General de Salud en México prohíbe la venta de estos productos a menores de edad y establece que se debe vigilar su uso en los establecimientos que los expenden, estas medidas son transgredidas en la práctica. "Existen cadenas de autoservicio que exhiben irresponsablemente los pegamentos, thíneres, pinturas, etc., sin mediar vigilancia alguna y sin ser sancionados por ello".[7]

Clases

Solventes

- Industriales o domésticos y también productos que los contienen, como el thíner o algunos otros solventes para pinturas, desengrasantes, gasolina y pegamentos.
- Para trabajos de arte o suplementos de oficina, que incluyen líquidos correctores, plumones, marcadores fluidos y limpiadores de contactos electrónicos.

Gases

- Comerciales o para uso doméstico, que incluyen encendedores de butano y tanques de propano, aerosoles en crema o máquinas dispensadoras y gases refrigerantes.
- Propelentes aerosoles domésticos y solventes asociados, como pinturas en aerosol, *sprays* para el pelo o desodorantes y protectores de tela en *spray*.
- Gases anestésicos de uso médico, como éter, cloroformo, halotano y óxido nitroso (gas de la risa).

Nitritos

- Nitritos alifáticos, que incluyen nitrito de ciclohexil, que está disponible para todos los públicos; nitrito de amilo, sólo disponible por prescripción médica y nitrito de butilo, una sustancia prohibida en Estados Unidos.

Usos

Cuando se aspiran por la boca o la nariz en suficientes concentraciones, los inhalables producen intoxicación, efecto que puede durar sólo unos minutos o algunas horas, si se toman repetidamente. Al principio, los usuarios pueden sentirse levemente estimulados; con las inhalaciones sucesivas, se desinhiben y pierden el control; al final llegan a perder la conciencia.

Efectos

A corto plazo

- Muerte repentina (puede sobrevenir incluso durante el primer uso).
- Sofocación, dificultad para respirar.
- Náuseas.
- Hemorragia nasal.
- Dolores de cabeza.
- Fatiga.
- Falta de coordinación.
- Pérdida de apetito.
- Disminución del ritmo cardiaco y respiratorio (efecto de los solventes y aerosoles).
- Vértigo.
- Alucinaciones visuales y cambios de humor repentinos.
- Entumecimiento y hormigueo de manos y pies.
- Palpitaciones cardiacas.
- Deterioro de la memoria y la atención.
- Marcha inestable y dificultad para tenerse en pie.

A largo plazo

- Dolores de cabeza y abdomen.
- Debilidad muscular.
- Decremento o pérdida de la capacidad olfativa.
- Hepatitis.
- Náuseas y hemorragias nasales.
- Comportamiento violento.
- Latidos cardiacos irregulares.
- Deterioro de los pulmones, hígado y riñones.
- Daño cerebral y del sistema nervioso.
- Peligro de desequilibrios químicos en el organismo.
- Eliminación involuntaria de orina y materia fecal.
- Estremecimientos delirantes.
- La inhalación profunda y en gran cantidad en un lapso corto puede producir desorientación, comportamiento violento, inconsciencia y muerte.
- Con frecuencia, bajo los efectos de inhalables, las personas cometen actos humillantes o de alto riesgo de los que después se arrepienten.

Estimulantes

Cocaína

Coke, nieve, *lady,* coca, blanca, vaciladora, coix, *speedball*, **grapa,** escamas, polvo blanco, C, niña blanca, oro en polvo, terrón de azúcar, *blow*, *candy*). Alcaloide que se extrae de las hojas de la planta *Erythroxylon coca*, originaria de Suramérica. El más poderoso estimulante del sistema nervioso que proviene de sustancias naturales se vende en forma de polvo (clorhidrato) compuesto por pequeños cristales blancos y suele mezclarse con manitol, algún azúcar, inositol, quinina o procaína.

Hacia mediados de los 80, Estados Unidos redescubrió los peligros de la droga, incluyendo su nueva forma, el *crack*. Éste es barato y puede ser fumado, un método que intensifica el placer y el riesgo. Una de las leyes federales más importantes de los últimos años, la *Anti-Drug Abuse Act* de 1986, especifica que, a causa de su poder adictivo y destructivo, la pena por posesión de cinco gramos de *crack* será la misma que por poseer medio kilo de cocaína en polvo.[8]

Usos

La vía de administración más frecuente, mediante la cual se obtienen efectos casi de inmediato, es la aspiración por las vías nasales (**esnifar**) —que recibe el nombre de *perico* o *pericazo*—, de donde se absorbe por el torrente sanguíneo a través de los tejidos. También puede ser inyectada (disuelta en agua), con lo cual se eleva la intensidad de sus efectos; fumada, que involucra la inhalación de los vapores y el humo de la coca al interior de los pulmones —donde la absorción en el sistema sanguíneo es tan rápida como la inyección— y untada en las encías (vía gingival). Algunos usuarios combinan el polvo de cocaína o *crack* con la heroína en una ***speedball*** untada o ingerida en diversas preparaciones.

No existe una forma segura de usar cocaína. A partir de cualquier vía de administración, si se ingieren cantidades tóxicas de esta droga, las consecuencias serán ataques cardiovasculares o cerebrovasculares que pueden derivar en una muerte repentina. El uso repetido de la cocaína por cualquier método produce adicción y otras consecuencias adversas para la salud.

Efectos

A corto plazo

Los efectos de la cocaína aparecen casi inmediatamente después de una sola dosis, y pueden desaparecer en unos minutos o en horas. Tomada en pequeñas dosis (por encima de 100 miligramos), la cocaína suele producir:

- Rápida tolerancia y dependencia física y psíquica.
- Euforia, sensación de energía y alerta mental, especialmente ante las sensaciones visuales, auditivas y táctiles.
- Disminución de la necesidad de comer y dormir.
- Dilatación de las pupilas.
- Aumento de la presión sanguínea, del ritmo cardiaco y respiratorio y de la temperatura corporal.
- Congestión o hemorragias nasales.
- Algunos usuarios encuentran que la droga les ayuda a realizar tareas intelectuales y físicas simples más rápidamente, mientras que otros pueden experimentar el efecto contrario.
- La duración de los efectos eufóricos inmediatos depende de la ruta de administración. Una vez que los efectos estimulantes desaparecen, el usuario reporta sentirse más cansado que antes y también más deprimido, particularmente después del uso prolongado.

A largo plazo

- Ulceración de la membrana de la mucosa nasal.
- Insomnio.
- Pérdida de apetito.
- Alucinaciones táctiles.
- Paranoia.

- Convulsiones.
- Muerte por paro cardiaco o insuficiencia respiratoria.

Crack (Pastel, bazuca, roca de coca, piedra)

Se trata de una nueva forma de cocaína, la más adictiva, dirigida al mercado de menores recursos. Consiste en un derivado de la base con la que se produce cocaína, que ha sido procesada de la cocaína en polvo en forma de hidroclorido hacia una sustancia fumable. El término hace referencia al sonido de *crackling* que se produce al fumar la sustancia.

Apariencia: bolitas de color blanco o café, o piedritas blancas o cristalinas que parecen jabón. Considerablemente menos pura que la cocaína, es más barata de producir y de comprar.

Usos

Vía de consumo: se fuma, por lo cual genera una reacción rápida, en 8 ó 10 segundos. Debido a su efecto eufórico casi inmediato, cobró enorme popularidad a mediados de los años 80 en Estados Unidos. La euforia inicial dura sólo de tres a cinco minutos, seguida de una profunda depresión que puede permanecer durante 10 a 40 minutos.

Efectos

- Tiene numerosos efectos perjudiciales en el organismo, que dependen de los distintos ingredientes que se agregan a la base en los distintos laboratorios clandestinos donde se produce.
- Puede provocar la muerte en sujetos susceptibles por: hemorragia cerebral (producida por el aumento brusco de la presión arterial), bloqueo de la conducción ner-

viosa del corazón, trastornos del ritmo, infarto del miocardio, insuficiencia cardiopulmonar, coagulación intravascular, insuficiencia hepática o renal, convulsiones y depresión respiratoria.

Freebase

Coca base. Compuesto que no ha sido neutralizado por un ácido para producir la sal de hidroclorido. Se inhala.

Cifras ilustrativas

Según el SRID:[9]

- Para 1998 —el año del gran brote— todo se disparó: 63 de cada 100 adictos se relacionaban con el uso de cocaína. Se había vuelto "la droga de preferencia en el D.F." (donde se registra el mayor incremento de venta y distribución de estupefacientes entre menores de edad) y alcanzaba "rango de conducta popular". Actualmente, 70 de cada 100 adictos la consumen.
- En 1990, 8% de los pacientes atendidos en los CIJ del Distrito Federal tenían problemas por abuso de cocaína. En 1998, las cifras ascendieron a 71,3%.
- El índice de menores que experimentaron con la cocaína en la ciudad de México aumentó de 0,5%, en 1976, a 4% en 1997. [10]
- Más de la mitad de los usuarios de *crack* no llegan a los 18 años de edad. El perfil del usuario: empleado o comerciante, con nivel de escolaridad de secundaria, técnica o preparatoria, cuya edad fluctúa entre los 18 y los 43 años.

Metanfetaminas (anfetas, elevadores corazones, tachas, hielo, gis)

Estimulantes sintéticos con gran potencial de abuso y dependencia, emparentados con las anfetaminas, pero con mayores efectos sobre el sistema nervioso central. Este polvo blanco cristalino, inodoro, de sabor amargo, se produce fácilmente en laboratorios ilegales y se encuentra disponible en formas diversas, gracias a lo cual puede fumarse, aspirarse, inyectarse o ingerirse vía oral. Su venta no se realiza en las calles, sino a través de sofisticadas redes de narcotráfico.

La tolerancia a las metanfetaminas ocurre en unos cuantos minutos, por lo que sus efectos placenteros desaparecen aun antes de que la concentración de la droga en el organismo baje en forma significativa. Por eso, su patrón de consumo más común es de "altas y bajas" donde el usuario trata de mantener el período de euforia consumiendo dosis más altas de manera frecuente o cambiando el método de uso. En algunos casos, los adictos se privan de comer y dormir para participar en fiestas, dando rienda suelta a su consumo en una secuencia conocida como *corrida*, donde se inyectan la droga cada 2 ó 3 horas durante varios días.

Usos

Como resultado de su uso prolongado, estas sustancias, al igual que la cocaína, producen una acumulación del neurotransmisor llamado dopamina; su concentración excesiva deriva en la hiperactividad y euforia que experimenta el usuario. No obstante, a diferencia de la cocaína —que se metaboliza casi por completo—, las metanfetaminas ejercen una acción de más larga duración. Un alto porcentaje de la sustancia se conserva tal cual en el organismo; por esta razón permanece en el cerebro durante más tiempo y produce efectos estimulantes más prolongados.

Efectos

A corto plazo (aun en pequeñas dosis):

- Dependencia física y psicológica.
- Incremento del insomnio y la actividad física.
- Aumento temporal de la capacidad de concentración.
- Disminución del apetito.
- Breve e intensa sensación de hiperactividad (cuando se fuma o se inyecta).
- Euforia larga y duradera, a veces durante medio día (cuando se toma o aspira).
- Elevación de la temperatura.
- Aumento de la libido.

A largo plazo

- Irritabilidad, comportamiento violento.
- Ansiedad.
- Confusión y pérdida de la memoria.
- Dificultad para concentrarse en las actividades cotidianas.
- Insomnio.
- Pérdida de peso.
- Episodios psicóticos como: paranoia, alucinaciones auditivas, cambios de humor y delirios.
- Pensamientos homicidas y suicidas.
- Problemas cardiovasculares y cerebrales.
- Reducción del funcionamiento sexual (en los hombres).
- Deterioro de la vida social y ocupacional.

- El abuso crónico puede conducir a comportamientos psicóticos (ver **psicosis**): **paranoia** intensa, alucinaciones visuales y auditivas y furia que se sale de control (a veces acompañada de conductas extremadamente violentas).
- Al ingerir una sobredosis, se producen efectos intensos de elevación de la temperatura corporal y convulsiones. De no ser tratada inmediatamente, sobrevendrá la muerte.

Éxtasis (tacha, ovnis, rolex, vampiro)

Nombre popular de la metilenedioximetanfetamina (Mdma). Droga sintética, **psicoactiva**, del tipo de las metanfetaminas y de la mezcalina. Sus efectos son estimulantes y alucinógenos. El éxtasis y el *ice* se consideran drogas sintéticas o de diseño por su elaboración en laboratorios químicos clandestinos que evaden las leyes relativas al control de drogas. Su fórmula puede ser extremadamente potente y provocar la muerte por sobredosis.

Usos

La Mdma se ingiere por la vía oral, usualmente en forma de tableta o de cápsula. Se considera la droga sintética más popular en las discotecas. El perfil del consumidor de pastillas de éxtasis según el Plan Nacional de Drogas, España, es: persona joven, que toma la sustancia cuando desarrolla actividades de ocio (como la asistencia a fiestas *rave*) y suele mezclarla con otros tipos de droga, como marihuana, cocaína y, fundamentalmente, alcohol.

La Mdma está clasificada como neurotóxica porque provoca degeneración en las neuronas que producen el neurotransmisor llamado dopamina. La afectación de dichas neuronas origina los daños motores propios de la enfermedad de Parkinson. Los síntomas de este mal comienzan con una falta de coordinación y temblores que pueden derivar en parálisis.

Efectos

A corto plazo

- En pequeñas dosis, el usuario se torna amistoso y sociable (sensación de euforia y desinhibición).
- Disminución de la sensación de fatiga.
- Mayor sensibilidad para las percepciones sensoriales.
- Hiperactividad.
- Taquicardia.
- Aumento de la temperatura.
- Incremento de la presión arterial.
- Disminución del apetito.
- Verborrea.
- Alteraciones visuales o movimiento acelerado de los ojos.
- Alucinaciones.
- Temblores o cierta rigidez.
- Dilatación de las pupilas.
- Alteración de la percepción del tiempo.
- Crisis de ansiedad.
- Ataques de pánico.
- Comportamiento impredecible, que puede derivar en ira y provocación.
- Agitación e irritabilidad o, por el contrario, somnolencia y depresión.

A largo plazo

- Con el consumo reiterado de éxtasis aparecen episodios

depresivos, estados de agotamiento y sensaciones de apatía y desinterés.

- Los efectos estimulantes de estas pastillas, que permiten a las personas bailar por largos períodos, pueden también provocar deshidratación, calambres musculares, hipertensión, convulsiones y paros cardiacos. Se han reportado casos de confusión, depresión, problemas de sueño, ansiedad y paranoia incluso semanas después de la ingestión.
- El uso prolongado de éxtasis produce daños duraderos, probablemente permanentes e irreversibles, como pérdida de la memoria, trastornos afectivos, problemas mentales como psicosis y daños cardiacos y neurológicos potenciales.
- Aunque una sola pastillas de éxtasis no suele causar directamente la muerte (a menos que la persona tenga las defensas muy bajas), sí provoca una lesión directa al cerebro, que es acumulativa: al tomar una nueva dosis, el daño se sumará al ya existente, y así sucesivamente. Sus efectos dependen de cada sujeto, su edad, corpulencia, la dosis que use y si mezcla o no la sustancia con otras.
- El Mdma puede ser extremadamente peligroso al consumirse en grandes dosis.

Focos rojos

- No existen dos pastillas de éxtasis iguales, debido a los distintos componentes que se mezclan para elaborarlas. Por ello, resulta imposible predecir sus efectos en la persona, tanto a corto como a mediano plazo.
- "Se están produciendo drogas cada vez más potentes; más de 200 moléculas diferentes saldrán al mercado

próximamente", afirma José Cabrera Forneido, director del Instituto Nacional de Toxicología de España (en el programa *Saber vivir*, de Televisión Española).

- El éxtasis cobra cada año más de 20 vidas en el Reino Unido[11]. Cuando ocurrieron muertes ocasionadas por el consumo de esta sustancia combinada con alcohol, se observaron síntomas de hipertermia, aceleración del ritmo cardiaco, infarto cerebral y, finalmente, un **choque anafiláctico**. A causa de la velocidad con que se produce el deterioro, ningún servicio de emergencia, por rápido que actúe, logra salvar a la víctima de este desenlace.

MDA (metilenedioxianfetamina) y Mdea (metilenedioxietilanfetamina)

Estimulantes emparentados con la Mdma, similares en su estructura química. Investigaciones han demostrado que la MDA destruye la producción de la serotonina en el cerebro, que desempeña un papel fundamental en la regulación de la agresión, humor, actividad sexual, sueño y sensibilidad al dolor. A ello se deben sus supuestas propiedades de tranquilidad, la capacidad de convivir y el aumento de la potencia sexual.

GHB (Gamma-hidroxibutirato)

Se conoce también como *éxtasis líquido*. Depresor del sistema nervioso central con efectos eufóricos, sedativos y anabólicos (fisicoculturismo).

Formas de uso

El GHB se produce en diversas presentaciones: líquido claro, polvo blanco, tabletas o cápsulas y se emplea con frecuencia por sus propiedades intoxicantes, sedantes y eufóricas. A menudo se utiliza combinado con alcohol. De manera creciente, su uso se relaciona con envenenamientos, sobredosis, violaciones que ocurren en una cita y otras fatalidades.

Los usuarios que la prefieren son los adolescentes y jóvenes adultos que asisten a las discotecas y las fiestas *rave*. En vista de que actúa en la hormona del crecimiento para desarrollar músculos, se usa comúnmente como un esteroide sintético en los centros de ejercicio y en los gimnasios.

Efectos

- En pequeñas dosis, el GHB reduce la ansiedad y produce relajación. Sus efectos comienzan de 10 a 20 minutos después de ingerir la sustancia, y duran hasta cuatro horas, según la dosis.
- En dosis altas, puede provocar pérdida de conciencia, convulsiones y disminución del ritmo cardiaco. Al mezclarse con metanfetaminas, aumenta el peligro de convulsiones y, con el alcohol, puede producir náuseas y dificultad para respirar.
- Los efectos de una sobredosis pueden sobrevenir rápidamente. Los signos son: náuseas, vómito, dolor de cabeza, somnolencia, pérdida de la conciencia, alteración en la respiración, un coma o la muerte.

Focos rojos

Algunos individuos sintetizan el GHB en laboratorios caseros. Sus ingredientes —gamma-butirolactone (GBL) y 1,4 butanediol— se encuentran en numerosos suplementos dietéticos disponibles en tiendas y gimnasios para inducir el sueño, crear músculos y mejorar el desempeño sexual.

Hielo (ice) *o vidrio* (glass)

Metanfetamina que ha sido cristalizada con el fin de poder fumarse. Es un estimulante del sistema nervioso central, por lo que aumenta el rendimiento físico y los signos de alerta. Puede intervenir en la visión, el juicio, la coordinación y los reflejos.

Efectos

- Aumento de las palpitaciones cardiacas.
- Visión borrosa.
- Daños en el cerebro, pulmones e hígado.
- Comportamiento compulsivo o violento.
- Alucinaciones.
- Psicosis.
- Conductas agresivas y violentas.
- Anorexia.
- Problemas gastrointestinales.
- Infartos del miocardio.
- Cardiopatías.
- Edema pulmonar agudo.

Los efectos de la droga pueden durar desde dos hasta 20 horas, dependiendo de la cantidad consumida.

Sedantes, hipnóticos y ansiolíticos

Benzodiacepinas

Tranquilizantes utilizados en el tratamiento de problemas de depresión y otros desórdenes psicológicos. A esta clasificación pertenecen el *Rohypnol*® (nombre comercial del flunitracepam), al igual que los sedantes de las marcas *Valium*®, *Halcion*®, *Xanax*®, *Tranxene*®, *Ativa*® y *Versed*®, *Librium*®, *Klonopin*® y *Serax*®.

En México, el *Rohypnol* se emplea, por prescripción médica, para combatir el estrés, la ansiedad y como auxiliar para conciliar el sueño. Su uso terapéutico no está aprobado en Estados Unidos, pero en Europa sí. Más de 60 países lo utilizan para curar el insomnio, como sedante y como anestésico preoperatorio.

Usos

El *Rohypnol* (cuyos nombres populares son: *pastas, roche* o *rufis*) carece de olor y sabor, lo cual hace que se disuelva fácilmente en las bebidas carbonatadas. Usualmente se ingiere por la vía oral, aunque reportes indican que también la pastilla se machaca y se convierte en polvo que después se aspira. Sus efectos sedantes y tóxicos se agravan al mezclarlo con alcohol. Aun sin él, una pequeña dosis de un miligramo puede afectar a la persona durante un lapso de 8 a 12 horas.

Efectos

- Dependencia física y psicológica.
- Somnolencia, cansancio y pereza.
- Caída de la presión arterial.
- Alteraciones visuales.

- Desorientación, confusión, alteraciones del juicio.
- Problemas gastrointestinales.
- Retención urinaria.
- Relajación muscular.
- Uno de los posibles efectos de la droga consiste en una amnesia profunda, debido a la cual el usuario tal vez no recuerde las experiencias que vivió mientras se mantenía bajo sus efectos. Por esta propiedad, se conoce al *Rohypnol* como *the forget-me pill* (píldora del olvídame).

Tras un consumo prolongado, su uso puede ocasionar ansiedad, agresividad, alteraciones en la memoria, aumento del apetito y del peso y problemas sexuales. En dosis elevadas, puede producir parálisis de los centros vitales, coma y posible muerte.

Focos rojos

- También se encuentra en el mercado una droga similar, cuyo componente es el clonacepam. En México se vende bajo la marca *Rivotril®* (*Klonopin®*, en Estados Unidos).
- Al igual que el GHB, el *Rohypnol* se ha vinculado con ataques de agresión sexual registrados en distintas ciudades de Estados Unidos, y por eso se conoce también como la droga de *date rape* (violación que ocurre durante una cita). A la víctima que ingiere la sustancia mezclada con alcohol le resulta imposible resistir la agresión sexual.

Fenciclidina (PCP)

Polvo blanco, cristalino que se disuelve con facilidad en agua o alcohol. Su uso como anestésico intravenoso se descontinuó en Estados Unidos en 1965, debido a sus efectos de agitación, delirio e irracionalidad en los pacientes.

Usos

Con un sabor químico amargo que lo distingue, el *polvo de ángel, ozono* o *combustible de cohete* se inhala, se fuma o se come. Puede mezclarse fácilmente con colorantes, razón por la cual se vende en el mercado clandestino en forma de tabletas diversas, cápsulas y polvos de colores.

Efectos

- Dependencia física y psicológica.
- Sensación de fuerza, poder e invulnerabilidad.
- Efecto de insensibilización mental.
- Aumento leve de la frecuencia respiratoria.
- Elevación de la presión arterial y la frecuencia del pulso.
- Rubor y sudor profuso.
- Adormecimiento de las extremidades.
- Falta de coordinación muscular.
- En dosis elevadas, reduce la tensión arterial, la frecuencia del pulso y la respiración. Esto puede ir acompañado de náusea, vómito, visión borrosa, babeo, pérdida del equilibrio, movimiento rápido de los ojos hacia arriba y hacia abajo y mareo. Los efectos psicológicos incluyen impresiones falsas y alucinaciones y síntomas parecidos a los de la esquizofrenia: delirio, paranoia, confusión mental, sensación de distancia del medio circundante y catatonia.
- Con el uso prolongado de PCP se presentan pérdida de la memoria, dificultad para hablar y pensar, depresión y pérdida de peso. Estos síntomas llegan a persistir hasta

un año después de dejar de usarlo. En interacción con otros depresores del sistema nervioso central, como el alcohol y las benzodiacepinas, puede causar coma o sobredosis por accidente.

Focos rojos

- El PCP utilizado por adolescentes puede obstaculizar el proceso de aprendizaje y la producción normal de hormonas del crecimiento y desarrollo.
- Entre sus efectos psicológicos negativos se cuentan la violencia y los intentos de suicidio.
- Hacia 1970, el PCP ya tenía reputación de droga peligrosa, constituyendo la causa más frecuente de emergencias médicas relacionadas con drogas en el famoso barrio de Haight-Ashbury, en San Francisco.

Analgésicos narcóticos

Los opiáceos, entre los que se encuentran la morfina y la heroína, son las sustancias con mayor poder adictivo.

Oxicodone (oxi, OC, Oxicotton)

Oxicontin® es el nombre genérico del analgésico opioide que contiene el ingrediente activo oxicodone, también presente en el *Percoset®* y el *Percodan®*.

Usos

Se trata de un medicamento controlado que, usado correctamente, alivia el malestar asociado con el cáncer, artritis o dolor de espalda. Cuando se utiliza como droga de abuso, las tabletas se trituran para poder aspirarse, masticarse o inyectarse (mezcladas con agua), a fin de provocar un efecto más rápido. Con esta forma de uso, los efectos de la sustancia pueden durar cinco horas o más. Sus efectos en el corto y largo plazo son muy similares a los de la heroína.

Heroína (caballo, droga, boy, junk, H)

Derivado de la morfina que también puede ser obtenido en forma sintética. Este opiáceo, el más utilizado con fines de intoxicación, resulta el de mayor potencial adictivo.

Usos

Su forma de uso más frecuente es mediante inyección, aunque también se aspira. A pesar de que la heroína pura se ha vuelto cada vez más común, la que se vende en las calles es "cortada" con otras drogas o sustancias como azúcar, leche en polvo, almidón, quinina e incluso estricnina y otros venenos. Presenta el aspecto de un polvo amargo blanco o marrón oscuro o el de una sustancia negra pegajosa. A causa de que desconocen el poder de la heroína que llega a sus manos y sus demás componentes, los usuarios corren el riesgo de sufrir una sobredosis o morir.

Efectos

A corto plazo

- Calor generalizado en todo el cuerpo.
- Euforia acentuada.
- Náusea que puede provocar vómito.
- Sequedad en la boca.
- Pesadez en las extremidades.
- Contracción de las pupilas.
- Deseo frecuente de orinar.
- Estreñimiento.

- Disminución de la frecuencia respiratoria.
- Después de la euforia inicial, la mente se nubla.
- Inquietud.
- Estados alternos de vigilia y letargo.

A largo plazo

- Complicaciones pulmonares.
- Estreñimiento severo.
- Irregularidades menstruales en la mujer.
- Reducción de la producción de hormonas sexuales en ambos sexos.
- El uso de jeringas contaminadas puede ocasionar enfermedades como VIH/sida, endocarditis bacteriana y hepatitis.
- Sumados a los efectos propios de la droga, la heroína que se vende en las calles puede contener aditivos indisolubles, que congestionan los vasos sanguíneos que llegan a los pulmones, el hígado, los riñones o el cerebro.

Esteroides anabólicos

Son derivados sintéticos de la hormona masculina testosterona que favorecen el crecimiento del músculo esquelético y aumentan la masa magra corporal. El abuso de estas sustancias fuera del campo médico se ha expandido entre muchos atletas que desean mejorar su desempeño y aumentar su fortaleza. Con el culto al cuerpo característico de la sociedad actual, muchos jóvenes fisicoculturistas recurren al uso de esteroides para aumentar su musculatura.

Un porcentaje indeterminado de personas que abusan de los esteroides han generado dependencia a pesar de los efectos negativos de su uso, tales como nerviosismo e irritabilidad extrema. La depresión, que puede derivar en intentos de suicidio, constituye uno de los efectos más peligrosos de la supresión de las sustancias. Se ha visto que, cuando no han sido tratados, algunos síntomas depresivos asociados con los esteroides persisten durante un año o más después de que el usuario ha suspendido su uso.

Los nombres comerciales de los esteroides anabólicos más conocidos son: *Depo-Testosterone®*, *Durabolin®*, *Decadurabolin®*, *Winstrol®*, *Primobolán®* y *Dianabol®*.

Usos

Estas sustancias se ingieren vía oral o se inyectan en lo que se conoce como patrones de uso cíclico, o sea, en ciclos de semanas o meses que después se suspenden para volver a comenzar. Para aumentar su eficacia y disminuir los efectos desfavorables, los usuarios suelen combinar distintas clases de esteroides en un proceso que se denomina amontonamiento (*stacking*). Éste implica graves riesgos, algunos de los cuales aún no se han estudiado en humanos.

Efectos

- Ictericia (pigmentación amarillenta de la piel).
- Retención de líquidos.
- Aumento de la presión arterial.
- Tumores en el hígado.
- Casos graves de acné.
- Niveles elevados de colesterol.
- Aumento rápido de peso y de masa muscular (cuando se combina con levantamiento de pesas).
- Temblor.

- Alteraciones de la conducta (ciclos de depresión, cambios súbitos de ánimo e irritabilidad) que pueden alcanzar niveles homicidas.
- Fatiga.
- Irritabilidad extrema.
- Celos paranoides.
- Alteraciones del juicio.
- En los hombres: reducción del tamaño de los testículos, menor recuento de espermatozoides, infertilidad, calvicie y desarrollo de senos.
- En las mujeres: crecimiento del vello facial, cambios o cese del ciclo menstrual, aumento en el tamaño del clítoris y engrosamiento de la voz.
- En los adolescentes: cese precoz del crecimiento por madurez esquelética prematura y cambios acelerados en la pubertad.

Focos rojos

- Muchos esteroides contienen sustancias desconocidas, debido a que se fabrican en forma ilegal. La mayoría de las veces no son prescritos por los médicos, sino que se toman por consejo de amigos o entrenadores que desconocen su forma de empleo.
- Entre los síntomas de la **vigorexia** se encuentra la obsesión por mejorar la fisonomía, que lleva a las personas a invertir largas horas en el levantamiento de pesas y prestar atención excesiva a su dieta. El temor a ser demasiado delgado o a no tener suficiente musculatura provoca que los individuos sacrifiquen el tiempo que emplearían en actividades laborales, sociales o recreativas.

8 La prevención universal: “prohibido prohibir”

El acto más revolucionario es renovarse a sí mismo.

HENRY MILLER, escritor estadounidense

En el fenómeno de la farmacodependencia, la prevención significa un rayo de esperanza, la manera en que todos —individuos, maestros, comunidad escolar y social, instituciones, medios de comunicación— podemos intervenir, con el fin de evitar que en nuestros países se produzca una “cultura de las drogas”. En su sentido más amplio, la prevención tiene como objetivo llevar a cabo todo lo necesario para que los adolescentes y jóvenes no consuman estas sustancias. Al esfuerzo destinado a reducir la demanda de drogas por parte de la población se le llama prevención universal o primaria.

Aunque hoy se hable de ella con frecuencia otorgándosele gran importancia, la prevención en adicciones como instrumento apareció en el plano internacional hasta hace poco, unos 10 ó 12 años cuando más.

En México, la prevención ha pasado por diferentes etapas. Durante mucho tiempo, los distintos gobiernos intentaron combatir las adicciones mediante el ataque a la oferta de drogas, con los resultados que saltan a la vista en los estudios epidemiológicos: un aumento importante en el número de usuarios, al que se están incorporando más mujeres y adolescentes a una edad cada vez menor.

La exageración sobre los efectos de las sustancias adictivas en el organismo provocó que los muchachos desconfiaran de la información proporcionada por las instituciones oficiales. Entonces, alrededor de los años 80 hubo una especie de vacío en la información, donde el gobierno bajó la guardia, argumentando que, en el país, el problema de las adicciones nunca alcanzaría las dimensiones que enfrenta Estados Unidos porque la "familia mexicana" representaba el principal factor protector contra la drogadicción. Podríamos preguntar ¿cuál familia mexicana? Este concepto ha cambiado en forma sustancial. Por ejemplo, 30% de los hogares del país los mantiene una mujer que hace las veces de cabeza de familia. La típica familia campesina de las películas de los años 50 no existe más; ahora, la conforman la madre, los hijos y un abuelo o, quizá, una pareja de homosexuales con un hijo. Ésta es la realidad cambiante y heterogénea de la cual debemos partir, y no de una situación familiar ideal que sólo conduciría a agravar más la situación.

Durante los 90, con el repunte en el consumo de sustancias, se comenzaron a realizar campañas de información, no siempre las más adecuadas o mejor enfocadas para atacar el problema en los jóvenes, a quienes se consideraba más como objetos que como sujetos, sin analizar ni comprender sus características distintivas dentro de un marco psicosociocultural. A la vez, a partir de los avances en la investigación, los expertos en adicciones constataron que informar, predicar y prohibir no era el enfoque idóneo, pues el hecho de manejar información sobre drogas inducía a los jóvenes a la experimentación. La doctora María Elena Castro[1] resume la visión que se tenía entonces como "un problema que crece hablando de él. Al igual que con otros retos que vive el país, para enfrentar el de las adicciones debemos tomar conciencia primero, y después cambiar. Si los padres dicen 'qué problema más grave el de las drogas', pero se cruzan de brazos y no intentan cambiar su realidad es porque no ven un avance en el trabajo de las instituciones ni existe una movilización social alrededor de ellos. Sin embargo, no debemos perder de vista que las instituciones se transformarán muy lentamente. Por eso, estoy convencida de que, en México, la verdadera prevención la llevará a cabo la sociedad civil, que el trabajo educativo lo podemos hacer todos, si incluimos a la familia en serio, pero no en el plan institucional de asistir a una consulta".

En la actualidad, en distintos ámbitos del país se está gestando un trabajo preventivo más orientado a comprender las distintas idiosincrasias de los jóvenes. Para su labor, los preventólogos, maestros y padres conscientes de su papel cuentan con estudios e investigaciones epidemiológicas que les permitirán elaborar modelos, programas y materiales y seguir con el trabajo de hormiga que unos cuantos han realizado paciente y sistemáticamente. Pero es necesario hacer más ruido, llamar la atención, hacer consciente e integrar a un número cada vez mayor de personas interesadas genuinamente en la formación de jóvenes fuertes en ambientes protegidos en donde podrán mejorar su calidad de vida en todos los sentidos.

Un escudo protector

Ante la evidencia de que los factores de riesgo están determinando las conductas de los adolescentes y jóvenes mexicanos, y de que carecemos en el país de una cultura de prevención tendiente a contrarrestar los efectos de tales factores, Castro y Llanes resolvieron crear su Modelo Preventivo de Riesgos Psicosociales *Chimalli*, basado en un concepto que hace énfasis en fortalecer a los jóvenes mediante el moldeamiento de sus actitudes y el desarrollo de sus habilidades. Al mismo tiempo, presupone que, mediante la formación de redes orientadas a prevenir los riesgos psicosociales de los menores, las comunidades familiares y sociales representan un factor de protección, al crear un clima social adecuado y disminuir la tolerancia de todos frente al fenómeno de las drogas.

La voz náhuatl *Chimalli* significa "escudo o protección", en alusión al objetivo del programa: "convertirse en escudo o protección frente a los estresores o los riesgos individuales y ambientales que viven tanto los niños como los adolescentes. Mayores habilidades para fomentar el desarrollo en ambientes más protegidos darán como resultado un incremento de actitudes y conductas protectoras entre jóvenes, niños, maestros y padres de familia".

Castro y Llanes explican las características más importantes del modelo:

- *Parte de una visión científica de la prevención.* Se trata del primer proyecto que incluyó el enfoque investigación-acción. No todas las poblaciones son iguales; por eso, para iniciar el cambio, este método se basa en estudios e investigaciones llevados a cabo en México y pensando en el contexto nacional.

- *Su concepto rector es la resiliencia* (término que designa "la capacidad del individuo para enfrentar adecuada y efectivamente la adversidad y las situaciones de crisis o riesgo, derivadas de la existencia de una reserva de recursos internos de ajuste y afrontamiento, ya sean innatos o adquiridos". Este aspecto fundamental de la prevención se tratará en el capítulo 11).[2]
- *Tiene un enfoque ecológico y proactivo*. Su esfuerzo se dirige a la transformación de los ambientes y hacia la búsqueda de soluciones. Proactivo quiere decir enfocado a soluciones realistas, es decir, trabajar con lo que se tiene a mano.
- *Su visión, al observar el desarrollo de los individuos, es integral*.
- *Dirige su esfuerzo al fortalecimiento de las personas, las familias y las comunidades*, más que a informar sobre la atención de sus problemas, porque establece que la prevención estriba en desarrollar las actitudes y habilidades de protección de los riesgos, con el fin de evitar que lleguen a desembocar en problemas.
- *Establece que la prevención consiste en cambiar* y, por tanto, exige una actitud de flexibilidad y apertura. La resistencia al cambio es un problema que comparten todos los seres humanos hoy día, los gobiernos, las instituciones, las personas.

- "Todos estamos llegando al punto de aceptación de que muchas cosas deben cambiar —dice Castro—. Por eso, debemos dar testimonios de lo que sirve, difundir los ejemplos exitosos en todos los campos de nuestra vida".

Un buen comienzo

Cuando Ignacio y Sofía se casaron, conversaron ampliamente acerca de cómo educarían a sus hijos cuando los tuvieran. En su infancia, durante los 60, Ignacio había permanecido al margen de la cultura *hippie,* que pregonaba el uso de las drogas como vía de experimentación. Pertenecía a una familia unida, en la cual su padre, muy estricto, los mantuvo siempre ocupados; el estudio y los deportes constituían las actividades principales de los cuatro hijos. Sofía, por su parte, tuvo conocimiento de la existencia de las sustancias ilícitas durante el bachillerato. Fue testigo de cómo una compañera consumidora de grandes dosis de marihuana se había visto involucrada en un accidente de auto que casi le costó la vida. Otra muchacha quedó embarazada después de un encuentro del que recordaba poco, pues se encontraba bajo los efectos del alcohol. Una noche de excesos alteró su vida para siempre.

Por su historia personal, Ignacio y Sofía acordaron que tratarían de educar a sus hijos libres de drogas. Este pacto ha sido fundamental para la pareja, que se documentó sobre cómo podrían lograr que sus hijos crecieran sanamente, no sólo en lo referente a las adicciones, sino en todos los aspectos de su vida. A partir de un enfoque integral, que aborda a los niños desde su nacimiento, vieron que el afecto, la confianza, la comunicación efectiva y un buen ejemplo paterno resultan básicos para formar jóvenes independientes, capaces de tomar las riendas de su vida y salir adelante por sí mismos. Gracias a su esmerada educación, este matrimonio ha sacado adelante a sus tres hijos que crecieron al margen de las adicciones, y hoy pretende continuar esa labor con sus nietos.

El trabajo de los padres

Este apartado también puede ser de interés para aquellos adultos que conviven con jóvenes y que, por motivos de trabajo de los padres o por la misma composición de la familia en la actualidad, participan en la educación de los muchachos.

Educar para fortalecer

Educar en su sentido más profundo significa ayudar a ser, contribuir a que cada persona logre dar lo mejor de sí misma para formarse como ser humano integral. Desde siglos atrás, existe abundante evidencia con respecto a que una educación basada en la libertad con responsabilidad sigue siendo el mejor antídoto contra los comportamientos autodestructivos en que incurren muchos jóvenes.

Aunque en la mayoría de los casos, los padres saben que representan ese más con el que los muchachos contarán en el momento de enfrentar distintos retos durante su vida, no es fácil para ellos decidir el tipo de educación que les darán. En vista de la transformación que han sufrido los conceptos tradicionales de familia y autoridad, se encuentran muy desorientados con respecto a la mejor manera de educar a sus hijos. Ante la rigidez que imponía el excesivo autoritarismo bajo el que fueron educados, donde los hijos hacían las veces de soldados a las órdenes de un jefe implacable e inaccesible, los padres de nuestros días no saben si es conveniente seguir este lineamiento —por demás improcedente y ajeno a la realidad actual— o pasar al otro extremo y relajar las normas que rigen la vida familiar. Nos encontramos en esta vertiente a los padres que califican a sus hijos de "amigos" y hogares manejados por los niños o jóvenes, con las desastrosas consecuencias imaginables. Esta confusión resulta lógica en un mundo en el cual las reglas del juego han cambiado significativamente.

En cuestión de adicciones, la labor de los padres no radica sólo en hablar a sus hijos sobre la teoría y los efectos negativos de las drogas, información que pueden encontrar en un libro, sino que la educación debe partir desde el momento de nacer. Aun así, ¿pueden los padres contar con la seguridad de que sus hijos no caerán en adicciones? Según Feldman, "si bien mediante la educación no erradicamos la posibilidad de que consuman drogas, sí disminuimos enormemente las probabilidades de que las prueben y, aunque las tengan a la mano, digan 'no quiero porque no me conviene', realmente convencidos de buscar otra manera de manejar su vida, y no porque está prohibido o los asustaron sobre las consecuencias".

Un buen patrón de cuidado por parte de los padres

De acuerdo con diversos expertos, este patrón incluye:

- Aceptar al joven como es, desde una perspectiva realista, a partir del conocimiento de sus potencialidades y defectos.
- Mantener altas expectativas con respecto a que el muchacho tendrá un comportamiento adecuado cuando se

encuentre fuera de la esfera familiar. Las buenas relaciones con los padres y una base sólida de fuerza interior cobran gran importancia cuando se enfrenta a una oferta o un acoso, por parte de compañeros o amigos, para beber alcohol o probar drogas. De hecho, a partir de distintas investigaciones se ha encontrado que la razón más común esgrimida por los jóvenes para no usar drogas o alcohol fue que no deseaban dañar las relaciones establecidas con los adultos que los habían cuidado a lo largo de su vida.

- Proporcionarle al joven un fuerte y positivo sentido de responsabilidad y de participación.

Existe una gran diferencia entre educar a un niño en la responsabilidad y educarlo en la culpa. Cuando se imponen a los niños tareas que sobrepasan su capacidad o se les castiga excesivamente por no cumplir con una tarea o un compromiso contraído, pueden generar un sentimiento de culpabilidad y frustración con el cual crecen, pensando que nunca van a alcanzar las metas que se propongan. Clemes y Bean explican que la culpa surge "cuando hay una diferencia muy grande entre lo que esperamos de nosotros mismos y lo que realmente hacemos".[3] Estos autores han elaborado el cuadro que se muestra en la siguiente página donde establecen la diferencia entre los niños "culposos" y los responsables. Como el lector puede ver, la motivación de los primeros es quedar bien con los demás, evitando la crítica y la desaprobación; se muestran apáticos y poco flexibles, se centran en el pasado y viven temerosos, ansiosos e inseguros. Los niños motivados por la responsabilidad,

	Niños motivados por la culpabilidad	Niños motivados por la responsabilidad
Objetivos de comportamiento	Evitar dolor, castigo, críticas y desaprobación.	Satisfacer necesidades propias y ajenas.
Métodos que emplean	Apaciguamiento, dependencia de los demás, planteamientos rígidos ante nuevas situaciones.	Independencia, flexibilidad, franqueza.
Focos de atención	En el pasado, en recuerdos dolorosos o de crítica, en situaciones pasadas que eran seguras.	En el presente o en el futuro, experimentando placer ahora o buscando nuevos logros. Recordando experiencias buenas del pasado.
Sentimientos sobre sí mismos	Autoinculpación, ansiedad, temor, autoestima escasa.	Autoaprobación, actitudes positivas, autoestima elevada.

en cambio, actúan para satisfacer necesidades reales, son flexibles e independientes, no se regodean en el pasado, sino que viven el presente con miras hacia el futuro, y pueden considerarse emocionalmente sanos.

- Ser una guía firme. Con frecuencia, el hecho de establecer normas y límites se considera un factor negativo en el desarrollo infantil. Muy por el contrario, se ha visto que los pequeños que cuentan con normas o reglas claras de comportamiento, crecen más seguros de sí mismos y con mayor sentido de responsabilidad. Si se interpretan los límites como prohibición, no se consigue nada. En cambio, al considerarlos como una serie de criterios establecidos para que posteriormente los jóvenes sean capaces de establecer patrones de conducta propios, entonces los límites implican una acción educativa.

En materia de educación, al igual que en otros aspectos de la vida, los extremos se tocan: la rigidez extrema a la hora de imponer las reglas del juego puede resultar tan peligrosa como la excesiva permisividad. En la familia autoritaria, toca al padre decidir el modo de actuar de todos, pero casi siempre obtiene resultados opuestos a los deseados porque una autoridad mal entendida favorece la sumisión, la falta de capacidad de reacción o la rebeldía. Por consiguiente, los hijos con padres autoritarios muestran una autoestima baja, inmadurez, poca confianza en sí mismos y falta de independencia.

En el otro lado, unos padres permisivos o sobreprotectores, que desean controlar a sus hijos pero temen perder su cariño, no les enseñan "a enfrentarse con las cosas, ni a prescindir de ellas, ni a luchar por conseguirlas, es el entorno del niño mimado al que no falta nada (...) el niño necesita permisividad dentro de ciertos límites y no una permisividad sin restricciones; necesita más un mundo organizado que uno sin organización y estructura".[4] Padres demasiado tolerantes deforman el carácter de sus hijos, propiciando en ellos conductas prepotentes e indeseables, pues, al no conocer límites en su hogar, se les hace fácil transgredir las normas sociales. Es frecuente ver a algunos de estos inadaptados muchachos destruir los monumentos, conducir en forma peligrosa y cometer actos antisociales o vandálicos. Para muestra, quizá el lector recuerde al mexicano que accionó la palanca de emergencia en el metro de Tokio durante el Mundial de Fútbol, un hecho insólito en toda la historia del transporte en ese país.

Cómo deben ser las normas que rigen el hogar

¿Podría funcionar una sociedad sin normas? ¿Quién podría vivir en una casa donde cada miembro de la familia actuara según le diera la gana? Implantar normas contribuye a hacer conscientes a los muchachos sobre la imposibilidad de hacer su parecer dentro y fuera de su casa. *Grosso modo*, las características de unas normas familiares adecuadas son:

- *Claras y fáciles de aprender*. A medida que crece, un niño necesita que sus padres actúen con coherencia, sin arbitrariedad ni ambigüedad, y le proporcionen un clima estable donde funcionen reglas claras y relativamente firmes.
- *Pocas y precisas*. Sean muy específicos; establezcan modelos claros de lo que es correcto y lo que no. Si las normas son muchas, los jóvenes se sentirán agobiados.
- *Justas,* con consecuencias proporcionales a la falta cometida. Es preciso ser razonable, no añadir nuevas consecuencias después de que sus hijos hayan roto una regla, y asegurarse de que se ajusten a la situación. Obligar a un muchacho a permanecer en su habitación puede ser apropiado cuando no llegó a la hora convenida, pero carece de sentido si se aplica porque no recogió sus cosas.
- *Bien explicadas y con algún punto positivo*. Lo ideal sería establecer las normas de común acuerdo entre todos, con el fin de lograr un mayor grado de compromiso por parte de sus hijos. Asegúrense de que ellos entienden bien el propósito de respetar las reglas y las consecuencias de romperlas; de esta manera comprenderán que deben responsabilizarse por sus actos y no deben esperar una recompensa por cumplir con lo pactado. Hablar con cla-

ridad resulta de suma importancia. Decir, por ejemplo: "No queremos que bebas nunca, pero si bebes y conduces, no te prestaremos un automóvil de nuevo. No habrá una segunda oportunidad si esto ocurre. Eres muy importante para nosotros y no deseamos perderte".

- *A partir de la comunicación.* Las normas deben apoyarse en valores de libertad y solidaridad, y exponerse a partir de una actitud abierta a la comunicación, no desde la autoridad basada en la experiencia de los adultos. Es importante elegir los momentos oportunos y hablar con habilidad y tacto, procurando que el adolescente no se sienta juzgado permanentemente. Escuchar puede no resultar tan fácil como suena porque los jóvenes no se muestran siempre dispuestos a hablar cuando los adultos desean hacerlo. Por eso, los padres deben estar abiertos a hablar con sus hijos en el momento en que ellos lo deseen.
- *Coherentes.* Los adolescentes no toleran las contradicciones. Si la familia está conformada por varios hermanos, las reglas han de funcionar para todos por igual, sin distinción.
- *Consistentes.* Decir "no" puede ser tan duro para los padres como para los hijos. Algunas veces, derrumbarse ante una petición o ruego persistente es el primer paso a una menor resistencia. Si la respuesta a una solicitud de sus hijos debe ser negativa, es preciso resistir a la presión. Cuando existe un acuerdo previo, hay que cumplirlo; por ejemplo, en el caso de haber pactado un horario de llegada a casa, que sea ése y no otro. Si su tarea consiste en limpiar la habitación una vez por semana, no pueden salir sin haber cumplido antes con ella.
- *Compartidas.* Ambos, padre y madre, deben apoyarse

en el momento de establecer normas y pedir que se cumplan. En el caso de parejas divorciadas o separadas, conviene olvidar los problemas personales e implantar las mismas reglas en cada casa.

- *Flexibles y revisadas con el tiempo.* Al establecer límites, importa mucho no pasarse de la raya y caer en una postura inflexible que únicamente produciría rebelión y respuestas irracionales por parte de los muchachos. Como es lógico, conforme van creciendo, ellos adquieren madurez y aumenta su sentido de responsabilidad; por eso, no se debe exigir a un hijo de 18 años el mismo comportamiento que cuando tenía 14.

La clave: Buena comunicación familiar

En una época de grandes avances en la información, de amplio desarrollo tecnológico y científico, los seres humanos todavía no hemos aprendido a comunicarnos. Enfrascados en nuestra vida diaria y en salir adelante con las responsabilidades que nos hemos impuesto, olvidamos la importancia de comunicarnos para mejorar nuestras relaciones con los demás.

Dentro de la familia, el niño aprende a comunicarse de distintas formas, que después serán la pauta para seguir en sus relaciones sociales. Con frecuencia, aunque lo intenten consciente y honestamente, algunos padres no logran establecer un diálogo con sus hijos porque no saben cómo hacerlo o han creado de tiempo atrás malos hábitos de comunicación familiar. Con el fin de entender cómo se da este proceso, recurriremos a la teoría del psicólogo Juan Sánchez-Rivera,[5] quien considera que, para comunicarse, las personas sostienen dos tipos de relación diferentes:

a) *La relación destructora.* Surge cuando la forma de comunicación de una persona se opone a todo cambio porque, si admite que los demás cambian o que ella misma lo hace, el precario equilibrio de sus relaciones puede romperse. De esta manera, en el afán de hacer a los otros a su imagen y semejanza, los manipula.

La manipulación tiene dos vertientes: primero que nada, se basa en una imagen irreal de la relación, que probablemente tenía sentido antes, pero no corresponde al momento actual. Dentro de una familia, por ejemplo, con frecuencia los padres piensan que sus hijos siguen siendo niños y se quedaron en esa etapa cómoda donde obedecían y se comportaban como ellos deseaban. Uno de los mayores problemas en la comunicación con los adolescentes radica en la negación de los padres a reconocer que sus hijos dejaron de ser niños y deben empezar a tomar sus propias decisiones.

Sánchez-Rivera llama al segundo mecanismo de la manipulación "la rigidez del fluir de la conciencia": en el intento de aferrarse al pasado, de mantener lo que ya no existe, las personas se niegan a aceptar la realidad y se obstinan en ver "lo que debe ser porque fue". Así, al tratar de sostener lo insostenible, los involucrados en este tipo de relación se "esfuerzan por no tomar conciencia de algo que está tratando de aflorar a la conciencia (el cambio de la relación, la tensión que lleva consigo, la desilusión que les embarga, etc.)". Intentan encontrar la felicidad a través de la rutina, mediante la repetición de lo ya sabido. Un ejemplo de tal manipulación puede ser aquel de la madre que le dice a su hijo de 19 años:

"Quiero que seas más independiente". Tiempo después, el muchacho decide cambiar de carrera y, al momento de decírselo a la madre, ésta reacciona en forma negativa: "Te dije que fueras independiente, pero no que tomaras una decisión tan importante sin consultármelo primero".

b) *La relación creadora:* Para que el proceso de comunicación pueda darse es necesario partir del "nosotros", no del "yo". La relación creadora se caracteriza por la capacidad de compartir (de hacer común, *comunicar*) aquellos cambios que afectan a todos los miembros de la familia. Al aceptar que el otro es diferente, admitir la posibilidad de estar equivocado y partir no de lo que *debe ser* la relación (ideal), sino de lo que *es* (realidad) puede hablarse de una relación basada en la libertad, que invita al crecimiento de las personas porque no falsifica la realidad. Dentro de este contexto resulta natural para un padre, que se sabe falible y humano, reconocer un error y decirle a su hijo: "Discúlpame por haberte gritado anoche, pero llegué muy cansado del trabajo y me tomó por sorpresa la queja que me dio tu madre sobre ti". En una posición muy distinta se encontraría el padre inmutable, "perfecto" ante los ojos de su familia.

Responder a las siguientes preguntas con honestidad puede ser útil para cobrar conciencia de que, mejorando el proceso de la comunicación, estarán más cerca de sus hijos:

- ¿Hago a un lado el periódico o apago el televisor en el momento en que mi hijo desea hablarme?

- ¿Cuando mi hijo pequeño me cuenta algún problema sonrío y no le doy importancia?
- ¿Pospongo la charla que mi hijo solicita que tengamos porque en ese momento me dirijo a una reunión con unos amigos?
- ¿Interrumpo a cada rato a mi hijo cuando está hablando conmigo?
- ¿Es imposible sostener una conversación con mi hijo porque siempre termina en discusión?
- ¿Dedico diariamente unos minutos a dialogar con mis hijos, aunque tenga asuntos pendientes?
- ¿Conversamos en familia durante las comidas, sin que estén de por medio el televisor o la radio?

El juego de la comunicación

Sánchez-Rivera sugiere un interesante juego que ayudará a la familia a comprender sus formas de comunicación y mejorará su capacidad de empatía (de ponerse en los zapatos de los demás).

Primero, reúnanse los miembros de la familia en torno a una mesa. Lo ideal sería que los jugadores fueran cuatro, para interpretar cada uno de los siguientes papeles:

a) *Acusador*. Su función consiste en acusar, juzgar, comparar, quejarse y criticar a todos los demás miembros de la familia.
b) *Conciliador*. A este jugador corresponde defender, excusar, justificar y diluir las quejas del acusador.
c) *Escapista*. Siempre a la defensiva, intenta hacer caso

omiso de las acusaciones, cambiar de tema, salirse por la tangente, evadir la responsabilidad.

d) *Predicador.* Interpreta a la autoridad; señala a los demás lo que deben hacer.

El juego consiste en que los participantes interpreten cada uno de los papeles durante cinco minutos. Al final, pueden realizar un análisis de cómo se sintieron: ¿Cuál fue el papel más fácil o más difícil? ¿Hubo manipulación por parte de alguno de los jugadores? En una familia con una relación creadora, estos papeles estereotipados adquirirán distintos matices. Así, el acusador puede ser dogmático, pero permanecer fiel a sus ideas y siempre buscar la verdad. Quizá aunque sea muy humano, el conciliador también caerá en ambigüedades y vivirá más para los demás que para sí mismo. El escapista es poco dogmático, pero sólo oye lo que le interesa. El predicador representa a la opinión pública y siempre está al tanto de lo que sucede, aunque resulta incapaz de prestar atención a las personas. Por medio de este ejercicio, se hace evidente que, en una familia creadora, los papeles no están preestablecidos y los padres pueden ser activos (acusador y predicador), en un momento dado, o pasivos (escapista y conciliador) en circunstancias distintas. Las funciones de cada uno de los miembros cambian, dependiendo de las necesidades del momento.

Recomendaciones para lograr una buena comunicación familiar

Para los padres, formar el hábito de comunicarse con sus hijos desde que nacen cobra gran importancia de cara al futuro, ya que el vínculo creado entre ambos no se romperá fácilmente. Por el contrario, si no prestan atención a los comentarios de sus hijos sobre los sucesos cotidianos, sus inquietudes, dudas o chistes, por insignificantes o nimios que parezcan, difícilmente pueden pretender que, al llegar a la adolescencia, los muchachos expresen verbalmente sus pensamientos o inquietudes. Si no se ha ido ganando poco a poco desde la niñez, en la etapa de mayores cambios se torna más difícil crear un clima de confianza que propicie la comunicación.

La consigna es mantenerse en guardia, no darse por vencidos. Ningún tema por el cual los muchachos sientan curiosidad o interés debe ser tabú en la conversación familiar. Crear un clima de diálogo y confianza dará pie a tratar el tema de las drogas con naturalidad, sin el conflicto que todavía sienten muchos padres frente a él.

Conviene recordar que la comunicación con los jóvenes se realiza ocasionalmente y el temor a no ser comprendido y a ser juzgado son sentimientos comunes en el adolescente. Por ello, se aísla, guardando en secreto sus pensamientos más íntimos. ¿De qué forma se rompe esa barrera? ¿Cómo empezar a hablar sobre los peligros a que se exponen los muchachos si usan drogas o alcohol? A continuación aparecen algunas consideraciones prácticas a la hora de tratar éste y otros temas trascendentales con ellos:[6]

- *Antes de hablar, procuren crear un clima agradable en el cual su hijo se sienta cómodo.* Sus señales no verbales también forman parte del mensaje, así que tomen en cuenta elementos como la posición en la silla, su tono de voz, el contacto visual y las expresiones faciales.
- *No se preocupen sobre cómo iniciar la conversación.* Confíen en su intuición. Una vez que intenten el acercamien-

to, la comunicación fluirá. Por su parte, los muchachos captarán su actitud receptiva y sabrán que, en el futuro, sus padres estarán ahí cuando los necesiten. Permanecer en silencio, en cambio, puede tener muchos significados para ellos, como desinterés, por ejemplo.

- *Demuestren interés haciendo las preguntas apropiadas*; éstas podrán ayudar a su hijo a aclarar sus pensamientos. Cualquier pregunta puede ser el inicio: "¿Has oído de niños que utilizan drogas?", "¿Por qué crees que lo hacen?", "¿Cómo deben actuar los muchachos a quienes sus amigos los presionan para fumar, beber o consumir drogas?" No lo pongan a la defensiva preguntándole si bebe o ha probado otras drogas.
- *Anímenlo a hablar*. Utilicen expresiones abiertas que lo inviten a explayarse: "¿Cómo te sientes?", o "¿Quieres contarnos lo que ocurrió?"
- *Escuchen el mensaje completo antes de formular una respuesta*. No interrumpan y asegúrense de que ustedes también están interpretando correctamente lo que su hijo dice. Para confirmarlo, repitan lo que entendieron: "¿Quieres decir que...?"
- *Preocúpense más por el contenido que por la forma*. Lo que su hijo dice es mucho más importante que cómo lo dice.
- *No se desanimen* si parece que el muchacho no presta atención; lo más probable es que esté captando su mensaje y éste no caerá en saco roto. Si ustedes hacen caso omiso del tema, su hijo lo oirá de otros —como de aquellos compañeros que utilizan o venden drogas—.
- *Manténganse alerta sobre los posibles obstáculos que les*

impidan escuchar, sobre todo aquellos de tipo personal, que les harán prejuzgar lo que su hijo diga.

- *No lo aconsejen ni conviertan la conversación en un regaño o una amenaza*. Escuchar con atención y comentar sólo lo indispensable lo invitará a seguir hablando. En cuanto a las amenazas, pueden ser difíciles de cumplir, al decir: "Si te vuelvo a ver fumando te corro de la casa". ¿Acaso estarían dispuestos a echar a su hijo a la calle? Si no es así, no existe razón alguna para lanzar una amenaza semejante en forma irreflexiva.
- *¡Cuidado al elegir las palabras!* Preferiblemente, eviten aquellas que contengan una carga emocional que puede resultar contraproducente para los fines del diálogo. Intenten encontrar áreas de coincidencia o experiencias comunes. Hablen sobre sus propias vivencias o pongan ejemplos de personas que su hijo identifique, como una cantante o un jugador de fútbol.
- *Eviten palabras hirientes o de reproche*. Los "siempre" o "nunca" suelen poner a los muchachos a la defensiva o cortar el diálogo. Por ejemplo: "Siempre te comportas de esa manera egoísta". Es mejor hablar en primera persona y tratar de explicarles lo que sienten: "Me siento mal cuando me contestas así".

La comunidad escolar

La posición del medio académico frente a las adicciones varía, pero con frecuencia se ubica más en la reacción que en la acción de atacar más los efectos que las causas. Sabemos de algunos colegios privados que han establecido la práctica de realizar, aleatoriamente, exámenes *antidoping* a sus alumnos de secundaria y preparatoria. A aquellos que resultan positivos, les niegan la reinscripción para el siguiente curso, con lo cual cierran la puerta a los muchachos cuando más necesitan del apoyo y la comprensión de la comunidad escolar. Algunos padres, por su parte, partiendo de una postura moralista y de negación de la responsabilidad de todos frente al problema, encuentran lógica y deseable una medida de esta naturaleza, que libra a sus hijos de ser "infectados". Como es lógico, cuando es su hijo el rechazado, su punto de vista cambia.

Enfocándonos en un universo escolar mayor, Castro y Llanes han descubierto, en su práctica profesional, un problema que califican de "gravísimo": la simulación. Resulta que una buena cantidad de escuelas adoptan, con gran entusiasmo, un plan contra las adicciones basado en unas cuantas conferencias sobre el tema para los padres y los alumnos, pensando que de esta manera cumplen con su labor preventiva. "Pudimos constatar las consecuencias de la falta de actuación frente al problema de las drogas, a partir de un seguimiento que realizamos, de 1985 a 2000, en los Colegios de Bachilleres. En ese lapso, el consumo de cocaína alguna vez en la vida por parte de los estudiantes se multiplicó por diez, en tanto el porcentaje de uso de anfetaminas superó al de la marihuana, pasando a ocupar el primer lugar. Por otra parte, aunque los hombres siguen consumiendo drogas en mayor proporción que las mujeres, ellas empiezan a desarrollar patrones característicos a cierto tipo de sustancias muy peligrosas, como las *tachas*, los tranquilizantes y los sedantes.[7] Afortunadamente, en la actualidad se está aplicando con éxito el *Chimalli* en todos los planteles, ya que los Colegios de Bachilleres son instituciones a las que se está transfiriendo el modelo bajo la supervisión del Inepar".

Numerosas escuelas se resisten a implantar un programa de prevención integral, como el *Chimalli*, porque implica un nivel de concretización y un trabajo muy exigente que trasciende la simulación. En cuanto a los maestros, "no podemos soslayar el estrés que padecen (existen investigaciones en este sentido). Por eso, al proponerles la aplicación del modelo, les explicamos que no requiere de gran tiempo y esfuerzo por su parte, sino de un cambio de actitud para que, dentro de su clase, apoyen el modelo protector de la semana. Hemos encontrado reacciones muy positivas por parte de ellos cuando les pedimos ese cambio".

Los entrevistados han transferido el modelo *Chimalli* a muchas instituciones, pero se han percatado de que el proceso de mediación y la organización interna ahogan el proyecto e impiden que el servicio llegue a los lugares donde se necesita. En cambio, "cuando empezamos a trabajar en comunidades marginadas, fue muy satisfactorio constatar que la gente responde y aprende a relajarse, a respirar, a hablar con calma de sus problemas, a negociar. 'De acuerdo —les decimos—, no tienes un bienestar económico, pero te tienes a ti'".

El *Chimalli* parte de un enfoque integral, de recuperar la vida, cambiar hábitos, trascender. *Grosso modo*, sus creadores explican los tres componentes básicos del modelo:[8]

a) *Trabajo grupal* para aprender habilidades de vida. Se trata de formar una red social pequeña, próxima; importa el elemento humano, no la cantidad de gente (quizá dos o tres papás y un maestro bien dispuestos, que desplieguen gran energía).

b) *Intervención*. El grupo lleva a cabo un inventario del riesgo que corren los jóvenes de la comunidad ante el consumo de drogas y la conducta antisocial.

c) *Autoevaluación*, donde se considera el estado en que se hallaban las habilidades de vida al principio y al final; por ejemplo, de qué manera funcionaron la red de la escuela y la de padres de familia. "Contamos con muchas experiencias exitosas con *Chimalli;* también con muchas no exitosas, cuando una institución prefiere jugar a la simulación. El camino más fácil es dar una conferencia con carteles y folletos porque el trabajo comunitario a fondo requiere mucha seriedad y compromiso".

Como conclusión a nuestra charla, Castro comenta que la prevención "no puede convertirse en una clase, pero no estoy de acuerdo con la visión de que, porque la gente no lee, es necesario bajar el nivel del discurso. Al contrario, hay que abrir el panorama a quienes están ávidos de aprender".

Los maestros como tutores

La discusión sobre si corresponde a la escuela educar y a la familia formar no es nueva. Con frecuencia escuchamos que maestros y padres de familia se "lanzan la bolita" mutuamente para evadir la responsabilidad que a cada uno compete. Entre las atribuciones y deberes de los maestros, además de la transmisión de conocimientos, también se encuentra la formación de los valores de sus alumnos, ayudarlos a conocerse y crecer como personas, para convertirse en seres sociales capaces de relacionarse con los demás en armonía. La tarea no es fácil, y no siempre los maestros se dedican a ella con vocación. La comunidad escolar necesita trabajar en esta área, pero también los padres de familia, quienes con frecuencia se desentienden de lo concerniente a la educación académica de sus hijos; por eso, requieren participar y colaborar más con la escuela para alcanzar, juntos, la meta de mejorar la calidad de vida de los muchachos.

En materia de adicciones, no debemos soslayar que, dentro de los factores protectores de los jóvenes, se encuentra el de permanecer en la escuela. Existe evidencia en torno a que la deserción escolar coloca a los muchachos en desventaja y aumenta el riesgo de que caigan en una conducta adictiva. A la par, un buen desempeño académico brinda confianza al joven, aumenta su autoestima y garantiza su permanencia en el sistema.

Además de ayudar a fortalecer a los muchachos para no adoptar formas de vida autodestructivas, entre las que se incluyen el consumo de drogas, la violencia o el vandalismo, los maestros también pueden representar una presencia significativa para aquellos jóvenes que, por distintas circunstancias de su vida, no cuentan con una imagen paterna o materna sólida. De esta manera, cuando el maestro establece una relación de tutoría con un alumno,[9] se convierte en un factor protector importante. Diversas investigaciones llevadas a cabo con jóvenes que se encuentran en alto riesgo de generar adicciones sugieren que "la presencia de un adulto significativo ha sido un factor primordial que ha contribuido a promover la *resiliencia* en ellos, incrementando su asistencia a la escuela y su labor académica, y facilitando el aprendizaje y la práctica de habilidades de vida para la socialización positiva con sus pares, así como un cambio positivo en sus actitudes y conductas en relación con el consumo de sustancias adictivas, logrando retardar o prevenir el inicio de consumo".[10]

Con este enfoque la figura del maestro adquiere una nueva dimensión en el campo de la prevención. Por eso, no nos cabe duda de que, mejorando las condiciones laborales de los maestros, se podría formar, de manera más efectiva, la red preventiva que propone el *Chimalli*.

Prevenir jugando

La prevención también puede resultar divertida. Cuando menos eso es lo que ha tratado de mostrar Fernando Patiño, un profesor de biología en el Instituto Benjamín Jarnés, ubicado en un pequeño pueblo de la provincia de Zaragoza, en España, cuando creó *Indroga*. Este juego, que llevó a su autor cuatro años de trabajo, pretende prevenir el consumo de las drogas, incluidos el alcohol y el tabaco, de manera divertida. En el salón de clase se reúnen de cuatro a seis jugadores (entre 12 y 16 años) en torno a un tablero que tiene como fondo el encéfalo (conjunto de órganos que forman el sistema nervioso y que se encuentran dentro del cráneo). Los participantes se reparten diez fichas que forman las palabras *vida y salud*, y comienzan a hacerse preguntas entre sí. El jugador que desconoce las repuestas va perdiendo letras y, por lo tanto, la salud; aunque también puede recuperarla. "Las fichas se dividen en tres tipos, las hay tipo test —con tres opciones para responder—, preguntas directas o de verdadero/falso".[11] Lo más interesante de *Indroga* es que se juega en grupo, que las preguntas las ha elaborado Patiño con aportaciones de sus alumnos y que todos deben escuchar atentamente las respuestas.

Aunque reconoce que el juego no ha servido para detectar problemas, el profesor explica que significa una forma de encauzar a sus alumnos a que tomen conciencia de la existencia de sustancias peligrosas y comiencen a cuestionarse algunas actitudes al respecto, a través de preguntas que nunca se hubiesen atrevido a realizar.

El gobierno de la región promociona este juego didáctico en las aulas. Sin duda, esta experiencia brinda una lección acerca de que, en el trabajo preventivo, la imaginación es el límite.

La comunidad en general

Hasta ahora, se ha considerado el fenómeno de las adicciones unilateralmente, desde el punto de vista de los adultos. No obstante, hoy día, como parte de un proceso de crecimiento que se comienza a vislumbrar en el resto de los ciudadanos mexicanos, gran cantidad de jóvenes también desean participar en los cambios del país y en las decisiones que afectan su vida. Para lograrlo, han empezado a organizarse e involucrarse en las políticas sobre distintos asuntos, entre los cuales se encuentran las adicciones, el riesgo de contraer enfermedades de transmisión sexual y todo lo relacionado con ellos mismos como sujetos, como personas libres y pensantes cuya voz es preciso escuchar si deseamos crear una sociedad mejor.

La voz de los jóvenes

Ellos también se organizan y trabajan en y por su comunidad. A partir de la entrevista que sostuvimos con Alma Rosa Colín e Imelda Marrufo, dos jóvenes con grandes inquietudes y claridad sobre lo que quieren lograr en la vida, el lector podrá conocer cómo es su lucha por ganar espacios de interlocución y transformar la realidad que les ha tocado vivir. Ambas trabajan en el Colectivo de Apoyo a Niñas Callejeras (Anica), en la ciudad de México, y el Centro de Asesoría y Promoción Juvenil Casa, A.C., en Ciudad Juárez, Chihuahua, respectivamente, organizaciones que forman parte de la Coalición Nacional de Organizaciones Juveniles.

¿Cómo se formó esta coalición?

La coalición surgió hace dos años, a raíz de una convocatoria que realizó el Instituto Mexicano de la Juventud (IMJ) a varias organizaciones juveniles en un campamento donde algunas organizaciones que trabajamos el tema de adicciones identificamos la necesidad de articularnos. Se conformó una red nacional, la Coalición Juvenil para la Prevención de Adicciones de México, y comenzamos a organizar encuentros regionales en el norte, sur y centro del país, auspiciados por el IMJ.

¿De qué manera trabaja?

Nos hemos estructurado a partir de un nodo en cada región, que se comunica con los otros nodos. Todavía no hemos cubierto todos los estados de la República. Al paso de dos años, después de ver quiénes somos, la manera como podemos trabajar y contactar con otras instancias, la organización se ha vuelto más autónoma. Trabajamos por proyectos regionales, que tienen que ver con las necesidades locales, con las posibilidades de comunicación y los temas específicos y la forma de abordarlos de cada región. En el norte, hemos detectado condiciones de adicción más recrudecidas. En el centro y sur la situación es más homogénea; ahí trabajamos temas de sexualidad, trabajo cultural, derechos humanos y género.

¿Cómo piensan dar el paso hacia la autonomía, para participar en la creación de políticas públicas?

Por tratarse de una convocatoria gubernamental, y por el mismo proceso que ha vivido la red, en ocasiones no ha estado de acuerdo con los planteamientos del IMJ o de su contraparte, el Conadic. No coincidíamos en que fuera una instancia de gobierno quien dirigiera la vida de la red. Por eso, con el objetivo de decidir lo que queríamos hacer de acuerdo con nuestro propio plan de trabajo, la coalición decidió tomar su propio rumbo. Hemos trabajado como interlocutores con esas instancias del gobierno, pero no como parte de ellos. Recibimos también un financiamiento de la Fundación Ford.

Cuestionamos que, mientras las instituciones apoyan la participación juvenil y el hecho de que los muchachos sean más propositivos, de pronto, cuando se empieza a dar este proceso de organización interna, ponen una barrera y se cierra la posibilidad de diálogo con el IMJ, por el solo hecho de no compartir las ideas. Junto con la Red Ambiental Juvenil, la Red de Comunicadores Civiles y la Red por los Derechos Sexuales y Reproductivos de los Jóvenes, estamos pensando cómo estructurarnos para elaborar propuestas más concretas y lograr una mayor incidencia en las políticas públicas destinadas al sector juvenil.

¿En qué consiste ser un "joven de hoy"?

Los datos del IMJ hablan del desinterés de la "generación X", de jóvenes que carecen de valores y de guía, que se encuentran dispersos y no participan en los ámbitos formales como la familia, la escuela, los espacios laborales y las organizaciones. El joven todavía es estigmatizado como poco participativo. Desde nuestra experiencia, el joven es adorado o satanizado. Se nos considera como un sector problema, al cual hay que dirigir y atender. Nosotros nos cuestionamos si todos los jóvenes tienen que estar insertos en los espacios formales; existen muchas formas de manifestarse fuera de ellos. En la coalición queremos ubicar esas otras formas de participación, para demostrar que no somos apáticos, tal como afirman las organizaciones oficiales.

¿Cuál es su concepto de prevención?

Pensamos que no podemos tratar, por un lado, la cuestión de la sexualidad y, por otro, la violencia, la violación de derechos humanos o las adicciones. Vemos el fenómeno como algo mucho más amplio, como una forma de vida, una serie de condiciones sociales que vivimos los jóvenes en este momento. El hecho de tener elementos de autonomía y desenvolvernos en el mundo, nos permite tomar decisiones no sólo en el campo de las adicciones, sino en todas las áreas. Sabemos que "la juventud" como tal no existe.

Lo interesante de la manera como está conformada esta red es que nuestras organizaciones trabajan en diferentes estados del país, desde pandilleros, hasta muchachos de comunidades rurales o de trabajo comunitario en los barrios. De entrada, esta diversidad de regiones nos permite identificar las formas de vida de quienes viven, por ejemplo, en Chiapas, Tabasco, etcétera. Representa una amplia gama de experiencias, de concepción de lo juvenil, desde lo regional, lo estatal, lo municipal, lo local, lo barrial.

¿Encontraron dificultades en su relación con las instituciones formales?

Cuestionamos mucho la diferencia entre una situación adictiva y la delincuencia, que no siempre van de la mano. Las políticas públicas parten de un punto de vista individual, sin tomar en cuenta la responsabilidad del Estado y de la sociedad en las conductas adictivas. Nos preguntamos ¿qué condiciones llevan a una persona a usar una sustancia? A través del programa "El ojo ciudadano", la Procuraduría General de la República nos pedía que denunciáramos a los consumidores. Lo perverso del asunto es que otorga una beca a quienes participen en su programa. No nos parece ético trabajar de esta manera ni nos interesa participar, como organizaciones, en un programa de este tipo.

Debería haber un trabajo comunitario mucho más comprometido, reconociendo una corresponsabilidad por parte del Estado. Todos podemos hablar de derechos humanos, pero lo que cuenta y marca la diferencia es la forma como estos conceptos se ponen en práctica. En la coalición decimos que debe haber un respeto por la persona joven y escuchar sus propuestas, además de no transgredir los espacios de las organizaciones juveniles. No obstante, existe mucho rechazo hacia la forma de pensar de los jóvenes por parte de las instancias de gobierno, al igual que de otros actores sociales —como la iglesia y la escuela—. En el norte, aunque tenemos relaciones con las universidades y escuelas de distintos niveles, no responden a nuestras expectativas, ni generan otro tipo de conocimientos, más adecuados a la realidad que vivimos.

La prevención según Pnufid

Alejado del discurso político hueco, Markus Gottsbacher, un joven que coordina el Departamento de Reducción de la Demanda de la Oficina Regional para México y Centroamérica del Programa de las Naciones Unidas para la Fiscalización Internacional de Drogas (Pnufid), nos habla, en la siguiente entrevista, de las tendencias que presenta el fenómeno de la farmacodependencia en la región y los respectivos cambios ocurridos en el enfoque preventivo.

¿En qué consiste el programa del Pnufid?

El programa cubre dos vertientes: 1) reducción de la oferta de drogas, a través del combate de fenómenos como el narcotráfico, el lavado de dinero y la corrupción, y 2) reducción de la demanda de drogas, que abarca la prevención, el tratamiento, la rehabilitación y la reinserción social.

Para Pnufid, la demanda y la oferta son dos caras de la misma moneda, ya que están relacionadas. En Centroamérica hemos encontrado un aumento preocupante en el consumo de drogas ilícitas, sobre todo en las regiones de la Costa Atlántica, ruta del tráfico de drogas de América del Sur hacia América del Norte. La estrategia de muchos traficantes de ampliar los mercados locales consiste en ir dejando la droga en los lugares por donde pasan e involucrar a los jóvenes como distribuidores de sustancias ilícitas en comunidades pequeñas, que en un principio vieron las drogas como un maná que les caía del cielo. Con el paso del tiempo, se han percatado de que, junto con la mayor cantidad de recursos disponibles, empiezan a enfrentar múltiples problemas sociales como, por ejemplo, el hecho de que gran cantidad de jóvenes se convirtieran en consumidores de *crack*.

También existen grandes tendencias por región, donde vemos el creciente número de mujeres consumidoras y una ruralización del uso y abuso de drogas a edades cada vez más bajas. En cuanto a las drogas de inicio, preocupa igualmente que, mientras antes se trataba sólo del alcohol y la marihuana, ahora se suma la cocaína, cuyo uso en jóvenes se ha multiplicado de manera alarmante.

¿Cómo influye esta situación en la nueva manera de enfocar la prevención?

Este concepto ha cambiado mucho. Mientras antes se hablaba de los tres tipos de prevención (primaria, secundaria y terciaria), ahora partimos de un enfoque general y otro enfocado a grupos específicos. Se habla de los siguientes tipos de prevención: la universal (dirigida a todos los jóvenes), la selectiva (dirigida a una población de mayor riesgo) y la indicada (dirigida a individuos de alto riesgo). Ya no creemos en las campañas que dicen "di no a las drogas"; pensamos que pueden ser hasta contraproducentes. Desde la perspectiva de Pnufid, resulta de gran importancia reconocer la diversidad de culturas juveniles y la multitud de comunidades involucradas. En el Distrito Federal, por ejemplo, lo que funciona para los jóvenes de Las Lomas no funciona para los de Iztapalapa, por hablar de esta zona únicamente. Existen dimensiones de clase social, de género y de la gran variedad de culturas juveniles que nos obligan a realizar una labor más diferenciada, donde la droga no constituye el problema, sino que forma parte del contexto sociocultural. Éste es el desafío que enfrentamos, fácil de explicar, pero mucho más difícil de poner en práctica.

Pero, el fenómeno va más allá de los jóvenes adictos...

Estamos conscientes de que debemos dirigir nuestros esfuerzos no sólo al universo de los jóvenes farmacodependientes, sino también al de aquellos consumidores ocasionales de cocaína, por ejemplo. Ahí se suma otro problema porque sabemos que el uso de esta sustancia está muy relacionado con el abuso de alcohol. Gran cantidad de muchachos "funcionan" muy bien entre semana, pero durante los fines de semana consumen gran cantidad de sustancias en los centros de diversión, y pueden causar muchos problemas, como, por ejemplo, accidentes automovilísticos. Entonces, aparte de enfocarnos exclusivamente hacia los jóvenes excluidos, que responden a un perfil más conocido, debemos abordar a estos otros jóvenes que aparentemente "funcionan socialmente bien". Por eso, tenemos que diferenciar mucho más a quién dirigimos las campañas.

¿Interesa también al Pnufid la reducción del daño en los jóvenes ya adictos?

El tema de la reducción del daño se ha convertido en una discusión cada vez más interesante, o sea, qué hacer con esos jóvenes que, consciente o inconscientemente, son farmacodependientes. ¿Deberíamos mostrarles cómo usar drogas? Lo cuestionamos porque algunos aducen que con eso se fomenta el uso y abuso de sustancias.

Por otro lado, gran cantidad de jóvenes se confían al pensar: "Si me meto una pastilla no pasa nada", ignorando qué tipo de sustancias se han mezclado en las pastillas y las consecuencias de usarlas a largo plazo. Los científicos, por su parte, desconocen todavía sus efectos a mediano y largo plazos. También debemos considerar que, con el consumo de sustancias, los jóvenes reducen la probabilidad de tener relaciones sexuales seguras, con lo cual se incrementa la posibilidad de enfrentar problemas correlacionados, como el VIH/sida.

¿De qué manera colabora el Pnufid con la Coalición de Organizaciones Juveniles para la Prevención de Adicciones, que se han unido con el fin de tratar asuntos comunes, entre los cuales se hallan las adicciones y el VIH/sida?

Buscamos crear espacios públicos para que los adolescentes y los jóvenes puedan influir en políticas públicas relacionadas con la prevención. Esto es fundamental, pues muchos no se identifican con las campañas creadas por los adultos con un enfoque muy moralista, que manejan una información poco objetiva y son excluyentes porque dicen quién se puede salvar y quién no. Queremos un enfoque más incluyente, donde todos admitamos nuestra corresponsabilidad en la situación de aquellos farmacodependientes que ya tienen el problema encima y forman parte de la sociedad.

Los esfuerzos de nuestra oficina están destinados a dar oportunidad a los jóvenes de participar en una forma más activa que antes, cuando todo estaba pensado desde arriba. Apoyamos a la coalición, que ya está funcionando, para que logre autonomía y pueda, más tarde, influir en políticas públicas creadas por los jóvenes para los jóvenes. Intentamos aprender de esta experiencia para aplicarla en otros países de Centroamérica, donde estamos formando Coaliciones de Prevención de Uso Indebido y Abuso de Drogas y de VIH/sida.

A grandes rasgos, lo que quiero señalar con todo esto es la importancia de elaborar estrategias preventivas mucho más diferenciadas, diseñadas con base en las múltiples realidades de los jóvenes, involucrándolos para que se conviertan en sujetos activos en esta labor. Representa un gran desafío, y de ninguna manera se trata de un problema "de la juventud" solamente o de algunos jóvenes "marginados". Más bien, es una responsabilidad de toda la sociedad.

Los miembros de las pandillas también participan

Los jóvenes checos, me decían, tienen mucho trabajo, mucho que estudiar y mucho futuro que edificar, como para dilapidar todo esto en las drogas (...) No hay rincón, no hay jardín, no hay café, no hay plazuela donde los jóvenes de Praga no estén drogándose. Lo maravilloso es que las tres drogas fuertes que consumen son: la música, la conversación y los abrazos. Algún extraviado habrá por ahí dedicado a descerebrarse con tal o cual sustancia. Lo que éste logrará con el éxtasis, o la coca, o pendexadas (sic) similares será enjutarse el alma, acongojar su cuerpo y literalmente matar su tiempo. Nada que ver con lo que ofrece Vivaldi, o la difícil partitura de la amistad, o el *allegro vivace* de un abrazo rico.[12]

¿Cómo podemos, los mexicanos, lograr que, al igual que en Praga, la drogadicción se convierta en un problema menor en nuestro país? En su texto, Dehesa nos proporciona varias claves: los jóvenes de ese país que ha sufrido tanto están ocupados tratando de construir su futuro, mientras que a nuestros jóvenes no les hemos permitido opinar y participar en las decisiones sobre cómo quieren que sea su vida más adelante. Necesitamos desarrollar una sociedad más inclusiva en la cual los jóvenes formen parte de un proyecto de nación que les compete. Ellos están ávidos por participar. Prueba de ello es que, cuando a las bandas de los *Ratas* y los *Dragones* (formadas por muchachos de ambos sexos de entre 13 y 23 años, la mayoría desocupados, que se distinguen por el consumo de drogas y por participar en riñas, prostitución, robos y violaciones) se les aplicó el trabajo preventivo de la metodología *Chimalli*, con algunas modificaciones, se obtuvieron resultados alentadores. En el reporte de esta experiencia, Arturo Sifuentes cuenta:

> Las bandas dejaron la forma amenazante en que hacían sentir su presencia en los puntos de reunión en que fueron detectados. Hubo una notable disminución en el consumo de drogas y en la participación en riñas y diversos cambios en el comportamiento en el camino hacia la integración social. Muchos (quizá 80%) tienen empleo, otros están esperando, pero ya inscritos, en el Sistema Estatal de Empleo; algunos más emigraron a Estados Unidos en busca de oportunidades. Quienes tenían uno o dos años de haber abandonado los estudios, reingresaron a la escuela y algunos están en el proceso de concluir el ciclo de estudios correspondiente. Tres parejas formalizaron su unión, dos en forma libre y otra en matrimonio. Hay dos nuevos bebés. En general, buscan integrarse a actividades recreativas, deportivas y culturales. Es notable el respeto para sí mismos que han ganado. Lo más sobresaliente es que uno de ellos es integrante de la policía del Estado, con buenos resultados, y tres se

> convirtieron en promotores voluntarios después de dos ciclos de actividades. Los voluntarios han sido precursores para aplicar el modelo *Chimalli* con otras bandas.[13]

Podríamos concluir que los resultados positivos de la experiencia de los promotores comunitarios se deben, probablemente, a que supieron ver en los miembros de las pandillas —tachados de "malvivientes" y "pandilleros" por la sociedad— características positivas, como: "disposición para ayudarse mutuamente, deseos de definir una identidad, de destacar; valoran la organización, son creativos y emprendedores". También en prevención las cosas son según el color del cristal con que se miran.

Los medios masivos

Una niña de tres años con brazos de mujer prepara una *raya* de cocaína. La imagen, acompañada del texto "Nadie nace siendo un drogadicto, pero puede llegar a serlo. La educación lo es todo", apareció hace unas semanas en las salas de cine, la prensa, la televisión y la radio de todas las ciudades españolas. El mensaje va dirigido a los padres y educadores —de quienes depende preparar a los más pequeños para que en un futuro sean capaces de decir no a la droga— y forma parte de una campaña masiva puesta en marcha por diversas instituciones, preocupadas ante el aumento en el número de jóvenes consumidores de drogas en ese país.

No se trata de descubrir el hilo negro. Se conoce la penetración de los medios masivos, sobre todo los electrónicos, en la difusión de ideas de diversa índole. Sin embargo, en México no ha existido una campaña permanente por parte de ese sector para contribuir a la prevención en materia de drogadicción. "Vivir sin drogas", por ejemplo, una campaña que el consorcio Televisión Azteca lanzó con bombo y platillo, carece de un objetivo claramente definido, no está bien orientada y, para algunos, forma parte de una mascarada tendiente a dar lustre a la empresa en cuestión.

Hace poco, hizo mucho ruido la campaña basada en el eslogan "Di no a las drogas" (sugerido por la esposa del ex presidente Ronald Reagan), proveniente de Estados Unidos. Diversos especialistas consultados comentaron sobre la falta de sentido de utilizar un eslogan de este tipo si, a cambio, no menciona a qué le pueden decir "sí" los jóvenes. "En las campañas se les presenta como tontos: ¿quién dijo que la droga no sirve? Su efecto inmediato sí sirve —claro, a costa de la salud o la vida—, de lo contrario no habría tantos adictos. Después de tres tragos, la mayoría se siente diferente: más alto, fuerte, desinhibido, etcétera. No tenemos que mentir a los muchachos. Debemos enseñarles a encontrar algo, fuera de las drogas, que los haga sentir bien". García hace ver que los jóvenes manifiestan muy poca percepción de riesgo, porque la información sobre drogas que suele manejarse en los medios masivos habla de muerte, lo cual no los afecta de manera alguna. "Tenemos que proporcionarles herramientas para decir 'no, gracias'".

Por lo anterior, el experto del IMJ considera que las campañas preventivas a través de los medios masivos deberían ser de sensibilización frente al fenómeno, permanentes y dirigidas a grupos más específicos. Difícilmente puede hablarse de una campaña nacional efectiva porque los muchachos de distintas ciudades en una misma área del país son diferentes ya no se diga los que viven en los distintos estados.

Otra deficiencia en el enfoque de los programas preventivos es que "regularmente se construyen en función de la oferta, es decir, del narcotráfico y de la narcoviolencia. La poca información que se transmite del lado de la demanda, de los usuarios de drogas, se hace en términos de tipologías del que las usa; las diferentes drogas que se usan, los sectores poblacionales del consumo (principalmente niños y jóvenes), el nivel escolar, o el género ('machines' de preferencia), pero casi no se otorga lugar e importancia a los mensajes preventivos del cuidado en sí".[14]

También debemos decir que algo está cambiando en el panorama de la prevención masiva. Actualmente, las campañas institucionales comienzan a tomar en cuenta los factores de protección. Tal es el caso de eslóganes como "Tu vida es la neta, ubícate", dentro del programa puesto en marcha por el Conadic.

Entonces, sería preciso que, en el diseño de programas preventivos a través de los medios masivos, el fenómeno de la farmacodependencia tuviera un enfoque integral, como parte de la vida cotidiana, a partir de los múltiples factores presentes en su conformación. Como complemento, sería deseable que las cadenas televisivas nacionales difundieran programas sobre la realidad de los jóvenes, y no solamente copiaran esquemas extranjeros, sobre todo estadounidenses, que presentan al joven como individualista, superficial, desobligado y siempre pensando en la diversión. Corresponde también a las empresas que detentan los medios la responsabilidad de respetar al pie de la letra las normas referentes a los horarios para la transmisión de anuncios sobre tabaco y bebidas.

En lo referente a los niños, en los noticieros y programas que se transmiten antes de las 9 de la noche aparecen las imágenes más terribles de guerra, crímenes y delincuencia. Al analizar su contenido, puede verse que abunda la tontería, la destrucción, el engaño, la mala voluntad de unos contra otros; en fin, presentan un enfoque maniqueo de la vida que puede conducir al cinismo o al desencanto. ¿Ha visto el lector las caricaturas japonesas preferidas por muchos pequeños, que tratan recurrentemente temas como la guerra y la violencia en un mundo caótico donde impera la ley del más fuerte? Cabe preguntarse si, para variar un poco, las televisoras no podrían incluir, en horarios comerciales, programas alusivos a la inteligencia, la alegría, la belleza, la honradez y la solidaridad entre los seres humanos.

9 La prevención selectiva: cuando una vez no basta

El único error real es aquel del que no aprendemos nada.
JOHN POWELL, geólogo y etnólogo estadounidense

Primum non nocere, "lo primero es no hacer daño", recomienda el principio médico. Por desgracia, en la familia, la escuela y la comunidad no se aplica como debería; de ahí, la cantidad de jóvenes que usan o abusan de las drogas. Viene al caso, entonces, la prevención selectiva, también llamada prevención secundaria, cuyo objetivo consiste en identificar a los probadores o consumidores ocasionales de drogas, que aún no han generado adicción, para proporcionarles un tratamiento oportuno y evitar que avancen a una etapa más peligrosa.

Dentro de esta forma de prevención, el término reducción del daño "se enfoca a disminuir los efectos negativos del consumo de drogas mediante modalidades que fomenten el contacto con el mayor número posible de usuarios de sustancias, a fin de que tomen conciencia del problema".[1] Para actuar en consecuencia, es fundamental diferenciar entre los muchachos experimentadores que se han intoxicado por primera vez, de los usuarios sociales que lo hacen esporádicamente o bien de quienes abusan de sustancias en forma frecuente y excesiva. En los dos primeros casos hablamos de prevención selectiva y, en el último, de prevención indicada; la manera de tratar a los usuarios y sus familiares parte de una visión distinta en cada una de ellas.

La identificación oportuna de los jóvenes usuarios de drogas, que permitiría una prevención efectiva, resulta complicada por varias razones:

- Los programas de prevención de la farmacodependencia "niegan o borran las particularidades regionales, culturales y de género de los jóvenes". Aquí se ubica el talón de Aquiles de la prevención porque, por buenas intenciones que tenga un programa, no será efectivo si no parte del diseño de distintos modelos de asistencia, en especial aquellos dirigidos a los adolescentes y jóvenes con mayor urgencia de atención. La prevención, por tanto, "tiene que corresponder a las circunstancias contemporáneas de la vida social en las urbes: ser amplia, plural, diversa, múltiple, democrática y, ante todo, ligada a aspectos específicos de la gran variedad de grupos adolescentes y juveniles que coexisten en nuestra sociedad (...)".[2]
- La alta tolerancia de nuestra cultura hacia el alcohol. La forma de diversión cada vez más común los fines de semana dificulta, para los padres, determinar si con esa conducta social de moda los muchachos no están ingi-

riendo una dosis cada vez más alta de alcohol y, bajo sus efectos, llegarán a usar otras drogas.

- La respuesta de la mayoría de las familias ante la sospecha de que uno de sus miembros consume drogas es la negación —un mecanismo de defensa natural del ser humano que produce una especie de bloqueo mental contraproducente en materia de prevención—. "Si les duele una muela, acuden al dentista, pero cuando enfrentan un problema de uso o abuso de sustancias, los padres no se informan o consultan a un especialista —cuenta Lacey—. No es sino hasta que existe mucho dolor o la situación se ha salido de control cuando los familiares buscan ayuda".
- Algunos estudios han concluido que las familias mexicanas tienden a ocultar el uso de drogas de uno de sus hijos, durante un tiempo mayor que las familias de otros países, con el consiguiente costo para la salud y bienestar del enfermo y sus familiares. Asímismo, en una encuesta efectuada entre estudiantes, sólo 7% de los hombres y 3% de las mujeres habían consultado a un médico, orientador o psicólogo por su forma de beber. El 5% y 2%, respectivamente, reportaron que sus padres pensaban que consumían alcohol "con mucha frecuencia".[3] Aunque no especifican la edad, los estudios de población señalan que sólo una de cada tres personas que presentan dependencia al alcohol solicitan ayuda para atender sus problemas.
- Los adolescentes piden ayuda abiertamente en contadas ocasiones, bien sea porque su consumo se encuentra en una etapa incipiente o tardan en percibir los da-

ños que causan las sustancias en su cuerpo. Además, a los jóvenes en general les resulta muy difícil reconocer que pueden estar abusando porque sus pérdidas (escolares, sociales, familiares, de salud) no son grandes todavía. El término "tocar fondo", de los grupos de Alcohólicos Anónimos (AA), se emplea para referirse al momento en que el adicto decide cambiar porque ha sufrido una pérdida realmente significativa o no está en posibilidad de recuperar parte de lo que dejó a un lado en el proceso adictivo. "Por ejemplo, un joven puede tocar fondo al recibir, cuando estaba intoxicado, una golpiza donde le destrozaron la nariz o al terminar con su novia por el mismo motivo; una joven puede llegar al límite porque perdió su virginidad o reprobó una materia", dice García.

- Tocar fondo, para Twerski, "no implica un completo desastre. Significa que algo sucedió en la vida del adicto que tuvo el impacto suficiente para que éste desee cambiar por lo menos parte de su estilo de vida (...) La mayoría de los jóvenes que entran a tratamiento han padecido pocas de las consecuencias de la adicción avanzada. Para ellos, el fondo es el deseo de permanecer en el hogar y de mantener una relación con sus padres".[4]

Algo anda mal

Los padres son quienes conocen mejor a sus hijos, o al menos eso creen. Sin embargo, por amarlos, por querer respetarlos y dejarlos ser, por comodidad, por falta de tiempo, por ignorancia, por pecar de ingenuidad, por autoengañarse, en fin, por múltiples razones y justificaciones, con frecuencia son los últimos en enterarse cuando ellos están usando o abusando de las drogas.

A la vez, una gran mayoría de los adultos desconoce el tipo de sustancias que circulan en los lugares donde se mueven los jóvenes, de qué forma y bajo qué circunstancias se usan, cómo afecta su consumo al muchacho y a la familia en general. Durante nuestra entrevista, la terapeuta Fanny Feldman recordó el día en que una mamá le contó en su consulta lo feliz que se sentía porque su hija había cambiado tanto que ahora se dedicaba a la jardinería, hasta caer en la cuenta de que la joven se dedicaba a cultivar marihuana en su propia casa.

Ni qué decir sobre la importancia, para los padres y adultos encargados de cuidar a jóvenes, de estar bien informados, no para actuar como paranoicos, husmeando o revisando las pertenencias de los muchachos, sino para mantenerse al tanto de lo que ocurre a su alrededor. Para ello, además de permanecer alerta sobre los cambios en el comportamiento y apariencia de sus hijos, los padres deben conocer los diferentes tipos de drogas a que se hallan expuestos y los peligros asociados a ellas, los nombres con que se las identifica, cómo son y los síntomas que producen. Sin duda, unos padres atentos y pendientes notarán cambios en el muchacho, quien, en ocasiones y de manera inconsciente, produce llamadas de auxilio para que acudan en su ayuda. No se trata de entrar en pánico o de obsesionarse, sino de ocuparse sin dilación y tomar cartas en un asunto que puede resultar hasta de vida o muerte en un caso avanzado.

Por otro lado, hay que ser cauteloso antes de hacer frente al joven para cuestionarlo sobre si está consumiendo sustancias. Con los cambios propios de la adolescencia —etapa que puede prolongarse en ocasiones hasta los 22 ó 23 años—, no resulta tan sencillo detectar el consumo. Algunos muchachos se retraen y huyen de la gente, otros padecen mucho estrés y se vuelven agresivos, confrontando a los adultos a la menor provocación. Pero esto sólo indica que están pasando por una etapa difícil, no que usan drogas.

Síntomas de un joven adicto

La clave está en cambiar. Observe cualquier cambio significativo en la apariencia física de su hijo, personalidad, actitud o comportamiento. Ningún signo de los que se mencionan a continuación, por sí solo, constituye una evidencia, pero existen algunas señales de alerta que hacen sospechar cuando un muchacho puede estar consumiendo drogas lícitas (tabaco y alcohol) o ilícitas.

Signos físicos

- Manera de comer. El chico experimenta cambios en los hábitos alimenticios, aumenta o pierde el apetito y, como consecuencia, baja o sube de peso.
- Andar lento o tambaleante; coordinación física pobre, pereza inusual.
- Fatiga y quejas constantes acerca de su salud.
- Dificultad para dormir, despertar a horas desacostumbradas.
- Ojos enrojecidos, acuosos o sin brillo; pupilas dilatadas o más pequeñas que lo usual; mirada en blanco.

- Palmas de las manos frías y sudorosas; manos temblorosas.
- Cara jadeante, enrojecida o pálida.
- Olor a sustancias en su aliento, cuerpo o ropa.
- Hiperactividad extrema; excesiva palabrería.
- Síntomas constantes de catarro o asma: nariz goteante, garganta tapada o dolorida, tos persistente, dificultad para respirar.
- Marcas de aguja en el antebrazo, manos, piernas o en el medio de los pies.
- Náuseas, vómito, sudor excesivo o sensación de vértigo.
- Estremecimiento o temblor de manos, pies o cabeza.
- Latidos de corazón irregulares.
- Heridas o contusiones provocadas por caídas.

Signos en el comportamiento

Familiares

- Cambio total de actitud o personalidad sin otras causas identificables.
- Pérdida de interés en pasatiempos y deportes.
- Cambios en los hábitos del hogar; pérdida de interés en la convivencia con la familia y en las actividades con ella.
- Ausencia general de motivación, energía, actitud de "nada me interesa".
- Repentina hipersensibilidad, temperamento caprichoso, resentimiento.
- Melancolía, irritabilidad o nerviosismo, euforia, ansiedad, estados de ánimo variables.
- Simpleza, risa frecuente y verborrea sin sentido.

- Paranoia.
- Cambios continuos de humor.
- Poco amor propio o autoestima.
- Carencia de juicio, dificultad para hablar o expresar ideas con claridad.
- Depresión y falta general de interés.
- Desobediencia a las reglas.
- Actitud constante de discusión y pelea.
- Comportamiento sospechoso o secreto. ¿Utiliza lentes negros para que no le vean los ojos rojos, se aplica gotas constantemente en ojos y nariz o quizá usa camisas de manga larga aun en época de calor?
- Evidencia de drogas e instrumentos, por ejemplo: pipas, papeles para elaborar cigarros, frascos de medicinas, gotas para los ojos, encendedores de gas, espejos pequeños, hojas de rasurar, jeringas, pegamentos, etcétera.
- Accidentes de auto.
- Deshonestidad crónica, mentiras frecuentes.
- Aumento en sus gastos; necesidad inexplicable de dinero; robo de dinero, ropa y objetos de la casa.
- Cambios en los hábitos de arreglo personal hacia estilos poco convencionales en el vestir. Nuevos gustos musicales.

Escolares

- Interés decreciente.
- Actitud negativa.
- Caída en el grado escolar (o en el desempeño laboral, en el caso de adultos jóvenes).
- No asistencia a clase o retardos en la escuela.

- Dificultad para poner atención; falta de memoria o despiste.
- Malas calificaciones.
- Problemas de disciplina.

Sociales

- Nuevos amigos, no interesados en las actividades normales de la casa o quienes son reconocidos como usuarios de droga o alcohol.
- Alejamiento de los antiguos amigos.
- Nuevos lugares de reunión habitual.
- Repentino alejamiento de reuniones con adultos.
- Excesiva necesidad de privacía, alejamiento de los demás.
- Problemas con la ley.

Síntomas que dan lugar a equívocos

No se precipiten. Algunas de estas señales también pueden indicar otros problemas. Para empezar, hay que descartar que no tengan un origen de otro orden, como:[5]

- *Ojos enrojecidos.* En primera instancia, este signo induce a los padres a pensar que el joven bebió alcohol o fumó marihuana. También puede indicar que padece una infección o una alergia, se expuso demasiado tiempo al computador o los juegos electrónicos o permaneció largo rato en un lugar cerrado y con ambiente cargado.
- *Acciones recomendadas.* Observar con atención los síntomas para descartar que el chico padece una alergia y preguntarle si ha estado en un lugar cerrado o se ha expuesto a las pantallas de un computador o videojuego.

- *Nariz con goteo constante.* Las personas que usan cocaína o inhalables padecen este síntoma, pero también pueden originarlo un resfrío, una alergia repentina o la desviación del tabique nasal.
- *Acciones recomendadas.* Descartar si el muchacho está resfriado o sufre algún padecimiento relacionado con alergias o problemas respiratorios.
- *Olor a tabaco en la ropa.* Una de dos, o el muchacho ha estado fumando, o estuvo en un lugar cerrado donde la gente lo hacía.
- *Acciones recomendadas.* Preguntarle si sus amigos fuman o permaneció donde había fumadores.
- *Comportamiento raro.* Al observar que su hijo habla y sonríe poco, se mantiene retraído y deambula por la casa, los padres pueden sospechar que usa cocaína o drogas sintéticas (también la heroína produce estos signos, pero sus efectos son tan evidentes que sería casi imposible, para unos padres atentos, no notarlo) o bien que enfrenta un problema que lo agobia o se ha enamorado.
- *Acciones recomendadas.* Con mucho tacto y tratando de hallar el momento adecuado, conviene averiguar los orígenes de ese comportamiento. Por ningún motivo los padres deben dejar ver al muchacho sus sospechas de que ha estado usando sustancias.
- *Comportamiento agresivo.* El alcohol, la cocaína, las drogas de diseños y la heroína provocan agresividad en el usuario. Pero también, cuando un adolescente enfrenta un problema que le parece enorme, siente frustración porque ha fracasado en algo, se relaciona con amigos

agresivos o está muy presionado en la casa o el colegio, dará muestras de agresividad y rebeldía.

- *Acciones recomendadas*. Nuevamente, es preciso aplicar todas las características de una buena comunicación. Siempre abiertos a escuchar, los padres deben acercarse al muchacho en el momento adecuado, con el fin de obtener información sobre el problema que lo aqueja, la posible influencia de sus amigos o su inconformidad con la manera como ocurren las cosas dentro de la escuela o el hogar.
- *Fracaso escolar repentino*. Si hasta hace poco el muchacho era un buen estudiante y de pronto obtiene malas calificaciones, es posible que esté usando alcohol o cualquier tipo de droga, pero a lo mejor ha perdido interés por lo que estudia, no se encuentra a gusto en ese grupo o escuela, tiene problemas con alguien o está enamorado.
- *Acciones recomendadas*. Como en el caso anterior, se requiere de las dotes paternas de serenidad e inteligencia para dialogar con el hijo y conocer el origen de su conflicto. ¿Acaso ya no está a gusto en esa escuela, enfrenta problemas con alguno de sus maestros o se distrae con facilidad porque está pensando en alguien que le gusta?
- *Falta a clase a menudo*. El uso continuo de sustancias provoca que, de pronto, el muchacho deje de asistir a clase; igualmente, esta conducta se presenta en la adolescencia por apatía, influencia de amigos poco dedicados o desinterés por el estudio.
- *Acciones recomendadas*. Además de indagar sobre posi-

bles dificultades con lo estrictamente académico, conviene charlar con el joven sobre la posible influencia de alguno de sus compañeros en este comportamiento inusitado en él.

- *Falta dinero en la cartera de los padres.* El robo puede ser debido a que el muchacho necesita dinero para proveerse de sustancias. Por otro lado, existe la posibilidad de que contrajera una deuda, desee ayudar a alguien que lo necesita o tenga un capricho caro.
- *Acciones recomendadas.* Con tacto y paciencia, sin culpar al chico o calificar su manera de proceder como falta de ética, los padres deben investigar qué lo llevó a conducirse así. Sin importar si lo hizo por razones ajenas al consumo de sustancias, los padres deben dejar claro que no tolerarán una conducta de ese tipo y obligar al muchacho a reponer el dinero robado.
- *Abandona sus aficiones favoritas.* El uso de sustancias llega a provocar un repentino desinterés por los deportes o pasatiempos favoritos, pero un muchacho también cambia cuando enfrenta un problema grave, está afectado por algo que no funciona bien en su vida o su grupo de amigos lo presiona para que se comporte así.
- *Acciones recomendadas.* Con delicadeza, intenten localizar el motivo del cambio de preferencias.
- *Se pone manga larga cuando hace calor o usa gafas oscuras en lugares cerrados.* Los adictos a las drogas inyectables intentan ocultar las señales de jeringas en los brazos usando siempre prendas de manga larga, al igual que quienes consumen alcohol o marihuana esconden su enrojecimiento de ojos tras unas gafas de sol.

- *Acciones recomendadas:* ¿Se trata de una moda pasajera, de llamar la atención o de ir en contra de lo establecido? Los padres deben sondear al muchacho para saber qué le está ocurriendo.

Los adultos tienen que estar al tanto de que, en ocasiones, este tipo de comportamientos en su hijo pueden ser síntomas de depresión o de otros problemas de salud. Cualquiera que sea la causa, necesitan atención, especialmente si persisten o si tales conductas ocurren de improviso. No se espera que los padres realicen el diagnóstico, pero sí que, para descartar cualquier problema de adicción y quedar tranquilos, acudan a un médico general o a un psicólogo especializado en adolescentes y jóvenes con el propósito de que realice una evaluación completa del muchacho.

¿Practicar el *antidoping*?

En la enfermedad de las adicciones, las horas y los días son vitales. ¿Cuál es el mejor momento para ayudar a un muchacho que usa o abusa de las drogas mediante una prueba *antidoping*? "Cuando presenta síntomas propios de estar bajo la influencia de alguna droga (pupila dilatada, sudoración excesiva, ansiedad, falta de sueño, cambios de comportamiento impredecibles e insomnio), cuando los padres advierten cambios en su comportamiento (baja de rendimiento escolar, amigos diferentes, incumplimiento de sus deberes, etcétera) o existe la sospecha de un consumo reciente (2 ó 3 horas)", argumenta Ernesto Cisneros, director general de la empresa Premeditest, comercializadora de *Drugtest* (una prueba detectora de drogas que los padres pueden realizar en cualquier momento en su propia casa).

Antes que nada, el diálogo; pero, si no existe otro camino, es necesario aplicar una prueba *antidoping* porque "detectar el consumo de sustancias ilícitas a tiempo puede hacer la gran diferencia entre la vida y la muerte. Los padres tienen la obligación de cuidar a su hijo y cualquier medida no coercitiva es válida". La información y la intimidación constituyen el mejor antídoto contra las adicciones, sostiene Cisneros. "Primero, hay que hablar del tema con los hijos. Explicarles en qué consiste el uso de drogas y sus consecuencias. Advertirles que, mediante la prueba que tenemos en nuestras manos, podremos detectar si usaron cocaína, marihuana y éxtasis. Con esto los estamos intimidando, pero debemos explicarles que no lo hacemos para dañarlos o castigarlos, sino con la intención de ayudarlos".

A partir de la misma técnica de una prueba de embarazo, el examen *antidoping* permite detectar los metabolitos activos de la cocaína, la marihuana (cannabinoles) y el éxtasis (metanfetaminas) para saber si hay presencia o no de estas drogas en el organismo. "En la prueba aparece un número disponible de asistencia telefónica, en horas hábiles, donde nuestros terapeutas atenderán a las personas con problemas o las canalizarán a instituciones públicas o privadas, como grupos de AA, CIJ y clínicas. *Drugtest* se encuentra a la venta en la cadena Cifra/Wal Mart y contiene una tarjeta con los reactivos, un vaso recolector con termómetro, un instructivo y una guía de preguntas y respuestas. Si usted decide realizar una prueba, antes de hacerlo platique con su pareja, para ponerse de acuerdo sobre la mejor manera de ayudar a su hijo", recomienda Cisneros.

Feldman sostiene un punto de vista diferente, pues se pregunta si realizar una prueba *antidoping* tiene sentido cuando no se parte de un objetivo determinado. ¿Qué harán los padres si se cercioran de que su hijo consume alguna de estas sustancias? Primero que nada, deben pensar cómo actuarán si la prueba resulta positiva. "No la sugeriría como receta médica. Es una forma de control útil, pero no como si los padres fueran policías, sino a partir de la aceptación del joven, de un acuerdo mutuo. Decirle: 'Vamos a ver si puedes tú solo o buscamos ayuda. De corazón, sé que has intentado dejar las drogas, pero no lo estás logrando porque la obsesión o la compulsión han podido más que tu fuerza de voluntad'".

Eso sí, aquellos que conocen el tema, saben muy bien la manera de distorsionar la prueba. ¿Recuerda el lector cómo el futbolista Diego Armando Maradona lograba, mediante la complicidad de sus amigos, salir airoso de los exámenes *antidoping* que le practicaban con cierta frecuencia?

Algunas escuelas han incorporado la práctica de pruebas *antidoping* a sus alumnos, sin previo aviso. Se trata de una herramienta muy útil, siempre y cuando se establezcan los objetivos a que se quiere llegar, reglas claras para todo el plantel y un programa serio de prevención de adicciones. ¿Qué ocurrirá con los muchachos cuya prueba arroje resultados positivos? ¿Cuenta la institución con la información suficiente para orientar y ayudar a los estudiantes y las familias que requieren tratamiento psicológico o rehabilitación?

¿Qué hacer cuando su hijo ha iniciado el consumo?

Ciertos padres restan importancia al hecho de que uno de sus hijos haya probado marihuana o alcohol. También llega a ocurrir que, en su escala de valores personales, este acontecimiento no constituye motivo de preocupación en absoluto. Consecuentemente, adoptan una actitud pasiva y dejan las cosas como están, sin darse cuenta de que, al no tomar cartas en el asunto, sólo lograrán que el consumo de sustancias continúe hasta convertirse en dependencia o, cuando menos, el muchacho se vea envuelto en eventos que pongan en peligro su vida o la de los demás (vandalismo, violencia, accidentes, etcétera).

- Si sospechan que uno de sus hijos ha estado consumiendo alcohol o sustancias ilícitas, hablen abiertamente con él y explíquenle su preocupación sin agredirlo o temerle.
- Póngase de acuerdo con su pareja sobre cómo van a actuar. Su hijo debe ver que ambos comparten el mismo sentimiento respecto a su conducta y no habrá manera de que alguno de los dos lo solape o pase por alto su problema.
- Reflexionen sobre lo que pueden hacer por su hijo e intenten prestarle más tiempo y atención.
- En el caso de que el muchacho niegue haber consumido sustancias, no bajen la guardia; sigan pendientes de su comportamiento, horarios, relaciones con los amigos, resultados en el rendimiento escolar, cambios de humor, etcétera.

- Nunca confronten a un muchacho que parece estar bajo la influencia de drogas.
- Una vez que los efectos de la sustancia hayan desaparecido, discutan el asunto en forma calmada, tratando de controlar sus sentimientos de cólera, culpabilidad o frustración. Hagan preguntas abiertas, como: "¿Bebiste alcohol?" "¿Estás usando marihuana?" Déjenlo hablar.
- No sobreactúen ni exageren. Eviten hacer acusaciones o echarle en cara "todo lo que han hecho por él". Los gritos y sombrerazos sólo engendran violencia e incomprensión. Con calma, hagan ver al muchacho su deseo de ayudarlo a salir de un problema que atañe a todos los miembros de la familia.
- No sigan obsesivamente todos sus pasos. Aunque algunos psicólogos recomiendan que los padres se conviertan en una especie de detectives, "estas acciones nos están demostrando, sin lugar a dudas, que nuestro nivel de comunicación y confianza con nuestros hijos es escaso o nulo. Algo está fallando para que tengamos que ejercer de detectives", opina el experto José Antonio García-Rodríguez.[6]
- Impongan cualquier disciplina razonable que crean apropiada como consecuencia de haber violado las reglas. Eviten utilizar el castigo como recurso para impedir que el muchacho continúe consumiendo sustancias.
- Aclaren de nuevo las normas que rigen en su hogar: horarios de llegada, responsabilidades en el colegio y la casa, asistencia a reuniones y fiestas, etcétera.
- Eviten criticar en forma continua y violenta todos sus comportamientos.

- Sean firmes. Aunque el muchacho les prometa que no lo hará de nuevo, no se ablanden o den marcha atrás.
- Sin culpabilidad de algún tipo, busquen ayuda profesional de inmediato, a fin de que un especialista aclare sus dudas, revise al muchacho y valore la necesidad de un tratamiento o una terapia de apoyo para él y toda la familia.

10 La prevención indicada: cuando el destino nos alcanzó

Quien mira hacia fuera, sueña;
quien mira hacia dentro, despierta.
Carl G. Jung, psicólogo suizo

Gente de la urbe y del campo, millonarios y miserables, genios y deficientes mentales, viejos y niños, mujeres, hombres, homosexuales y demás, nadie se libra de perderse a sí mismo en un proceso de adicción. En el momento en que una persona se muestra incapaz de manejar su consumo de drogas, necesita de una ayuda especializada para aprender a vivir sin la o las sustancias y regresar a la vida normal. Toca a la llamada prevención indicada o terciaria —más compleja por su grado de especialización y alto costo— abordar a los individuos cuya dependencia a sustancias se considera de alto riesgo, y tiene como fin último rehabilitarlos para lograr su reinserción social.

Según estimaciones, únicamente 2% de quienes padecen adicciones en México se atreven a buscar tratamiento. En su experiencia, Villarreal ha visto que, antes de llegar a la parte crónica, el proceso de deterioro del alcoholismo transcurre lentamente; por eso, la familia puede demorar hasta siete años en darse cuenta de que uno de sus seres queridos lo padece, y dos años más en pedir ayuda. En cuanto a la farmacodependencia, el daño avanza más rápidamente: dos años para percatarse y uno más para buscar ayuda. Aun cuando note la existencia del problema, la gran mayoría de las personas tardará en dar el primer paso en busca de la rehabilitación.

"Socialmente, un drogadicto es un perdedor, un borracho, una persona de la calle, pero nunca un muchacho que ha recibido la 'mejor' educación en escuelas caras —declara Villarreal—. Es tan difícil saber quién sufre una dependencia y quién no. Por eso prefiero cambiarle el nombre a la enfermedad, llamarla emocionalismo con alergia a... en lugar de drogadicción o alcoholismo. El problema no proviene de las sustancias, sino de las emociones. El sujeto arrastra una opresión emocional y, cuando entra en contacto con las drogas, hace el descubrimiento del siglo: '¿Dónde estabas cocaína? Te necesité tanto tiempo; me haces sentir de maravilla, me ayudas a soportar la rabia de vivir afuera'".

Pero, ¿qué hace ese mismo sujeto cuando comienza su deterioro físico, cuando el proceso se revierte y tiene que soportar la rabia de vivir adentro, consigo mismo?

Los tratamientos

Un tratamiento se define como todas aquellas actividades que pueden programarse con el fin de tratar los problemas asociados con sustancias adictivas y con individuos que manifiestan un desorden en el uso de las mismas.[1] Existen tres tipos de tratamientos generales para abordar las adicciones en adolescentes y jóvenes.

Ambulatorio

Como asegura Víctor Manuel Guisa Cruz, director general de CIJ, es el modelo de tratamiento "más utilizado en el país, donde se proporcionan diversas modalidades terapéuticas como psicoterapia, prescripción de fármacos e intervenciones de tipo social tendientes a la rehabilitación. CIJ tiene una infraestructura de 70 unidades de atención ubicadas en zonas de alto riesgo. Atiende anualmente a un promedio de 49 mil personas y 20 mil usuarios de drogas"[2].

El enfoque médico psiquiátrico incluye la terapia familiar, un tipo de atención individualizada donde el joven enfrenta su realidad, toma conciencia de su adicción y trata de aprender a vivir sin las sustancias. La experiencia ha probado que los tratamientos más efectivos para los adolescentes y los jóvenes son aquellos donde se involucran a las personas más cercanas a ellos, en particular en los casos difíciles de tratar. La terapia familiar parte de tres enfoques:

a) *Tradicional*. Se basa en la idea de que algo malo en la familia produce la adicción en el muchacho. Con los avances en el conocimiento de la dinámica familiar por parte de la psicología, este enfoque se encuentra en revisión y ha caído en desuso.
b) *Basado en los factores de riesgo y protección*. A partir de reducir los primeros y fortalecer los segundos, este enfoque se aplica lo mismo a los tratamientos que a la prevención.

c) *Multisistémico y multidimensional.* Para realizar el proceso terapéutico, el tratamiento involucra a todos los miembros de la familia, a los compañeros o amigos (pares) del adolescente o joven y a la comunidad. Se llevan a cabo intervenciones familiares destinadas a promover la capacidad de los padres para orientar y disciplinar al muchacho. La aportación de los pares se orienta a alejar al usuario de los consumidores y facilitar su reinserción en un grupo de amigos que lo ayudará a salir adelante. La escuela, por su parte, le ayudará a encauzar su capacidad y hallar su vocación profesional.

El enfoque multisistémico ha probado su efectividad al disminuir las tasas de reincidencia, mejorar las relaciones familiares y sociales y reducir problemas de comportamiento entre los participantes. Algunas familias con un hijo adicto funcionan bien y no necesitan asistir a terapia. Entonces, el muchacho constituye un buen candidato para la terapia individual o de grupo, donde se programan algunas juntas familiares ocasionales para obtener información, apoyar el tratamiento e involucrar a todos los miembros, con el objetivo de prevenir posibles recaídas.

A lo largo de diez años, Feldman ha dado terapia a jóvenes y sus familias. Aquí nos habla de su experiencia.

¿Cuándo buscan ayuda los familiares de un adolescente con un problema de adicción?

Generalmente lo hacen por otro tipo de problemas, escolares o de conducta, que los padres no relacionan con la droga. En el momento en que se dan cuenta de todo lo que implica una adicción, la enfermedad se encuentra en un estado avanzado. La terapia se convierte en un proceso difícil y lento puesto que el joven debe aprender a vivir, a relacionarse y divertirse sin la sustancia, en un mundo que gira alrededor de ella. Al someterse a tratamiento, no le cuesta trabajo dejar de consumir durante la etapa de desintoxicación. Lo más duro para el muchacho viene después, al momento de enfrentar los problemas y manejar sus emociones sin el consumo. La dependencia psicológica resulta mucho más difícil de superar.

¿En qué momento puede considerarse que un joven está fortalecido para enfrentar la vida?

Es preciso diferenciar entre los distintos consumidores de drogas. Muchos bebedores son lo que podríamos llamar "abusadores de alto riesgo", pero no necesitan abstinencia total porque no han generado adicción. La terapia implica aprender a disminuir y controlar su consumo, a paladear el alcohol, volverse bebedores responsables para prevenir problemas. Los que se volvieron dependientes, los adictos, sí necesitan un proceso más estructurado y a largo plazo para aprender a vivir sin la sustancia. No se pueden confundir ambos: no todo el que consume drogas resulta ser un adicto. Por eso adquiere importancia realizar un buen diagnóstico y determinar el grado de ayuda que requerirán. Para quienes consideran la adicción como enfermedad, representa un trabajo constante, día a día, durante toda la vida, al igual que todos los seres humanos necesitamos trabajar a diario para crecer, salir adelante y lograr nuestros objetivos.

Entonces, los muchachos necesitan de mucha ayuda de su entorno.

Sí, por eso en los colegios suelo trabajar con todos los estudiantes, pues son los compañeros quienes pueden detectar al que está teniendo más peleas, o bien pueden ser los facilitadores para que la adicción de sus pares se inicie, se mantenga o agrave. Primero se conciencia al grupo en general sobre la importancia de contar con un amigo, que no es lo mismo que ser un cómplice. Se les enseña que un amigo leal es aquel que les dice la verdad, aunque les duela. Ellos también necesitan aprender cómo ayudar a sus amigos. Me comentan: "Si le digo a sus padres, fulanito pensará que soy desleal; si callo, estoy siendo cómplice". Esta situación les genera una gran ansiedad a los muchachos. Una vez hecha la reflexión, empiezan a detectar quién ha tenido mayores problemas y acuden a un especialista a hablar de sus preocupaciones. Éste los canaliza y, en muchas ocasiones, se llega a realizar una intervención en crisis, orientando a los compañeros o familiares sobre cómo confrontar, con amor, a aquella persona con problemas de adicción para ayudarlo a relacionar el dolor que está viviendo con su consumo.

¿Cómo ve el fenómeno de la farmacodependencia en México?

Mi campo consiste en erradicar la demanda, no la oferta. Tengo grandes expectativas de que el problema de la adicción a sustancias disminuirá, puesto que los trabajos preventivos han ayudado a reducir el consumo o la cantidad, o bien a retardar la edad de inicio, ya que, como se ha demostrado, mientras a más temprana edad se inicia el consumo, existe mayor probabilidad de volverse adicto. Al no aprender otras habilidades de vida para enfrentarse al diario vivir, los muchachos se quedan truncados porque utilizan la sustancia como única herramienta de enfrentamiento. Los adolescentes y adultos jóvenes (universitarios) conforman la población de más alto riesgo. Sin embargo, al rebasar esa etapa, cuando encuentran un trabajo, forman una familia o establecen una relación más seria, quienes no se volvieron adictos pueden reducir su consumo o dejarlo por completo.

Humanista

Parte de considerar al adicto como no responsable ni de la adquisición ni de la solución del problema. Para liberarse de su adicción, requiere de fuerzas superiores que lo ayuden, tal como proponen los grupos de ayuda mutua: Alcohólicos Anónimos (AA), Narcóticos Anónimos (NA) o Drogadictos Anónimos (DA). Todos ellos se basan en el concepto original del Programa de 12 Pasos, creado en Akron, Ohio, en 1935, por un adicto que había fracasado en todos los intentos por recuperarse y creó AA como una última esperanza antes de ingresar a una clínica para enfermos mentales, según le había recomendado su médico. El concepto, que en apariencia resulta simple pero conlleva una gran sabiduría, significó una revolución en materia de psicoterapia. En sus inicios, AA fue rechazado por el público en general, la iglesia y la comunidad médica; hoy por hoy, significa una tabla de salvación para muchos de los que siguen su filosofía de vida.

Dentro de los grupos de ayuda mutua se habla poco del alcoholismo o la drogadicción, refiriéndose a éstas como enfermedades crónicas que involucran al cuerpo, la mente y el espíritu de los individuos. Los participantes únicamente aluden a la enfermedad con el objetivo de dar instrucciones directas, como: asistir a juntas, obtener un padrino o una madrina, practicar los 12 pasos y no probar la sustancia. Entre sus características destacan: a) están enfocados hacia la acción; b) son deliberadamente desestructurados, informales y antiautoritarios; c) parten de un principio de liderazgo donde la unidad se da a través de la identificación; d) su objetivo es inspirar.

Villarreal explica el enfoque humanista de AA: "No se trata de obtener títulos universitarios, ser reconocido y respetado. Convertirse en una persona íntegra significa estar a gusto con uno mismo, pensar, sentir y decir lo mismo. Desgraciadamente, la mayoría de los seres humanos pensamos una cosa, sentimos otra y decimos otra más. Estamos desintegrados, alejados de nuestra parte espiritual. En AA funcionan los principios universales presentes en todas las religiones. Los masones y los templarios, por ejemplo, decían que, si no vives de acuerdo contigo mismo, sólo darás pasos equivocados. Si aprendiéramos a buscar la armonía interior, las cosas marcharían de manera muy diferente".

"En los grupos de autoayuda los adictos se sienten uno más; asociarse con otros para enfrentar la realidad es mucho menos amenazador que enfrentarse a la sociedad solos", considera Villarreal. "Tras el anonimato, descubren la existencia de muchas personas respetables que, en algún momento de su vida, fueron adictos activos como ellos. Aprenden a conocer las conductas adictivas que experimentan los demás, y a identificarlas en ellos mismos. También cambian su conducta defensiva para comenzar a hablar de lo que les duele y ha hecho daño durante tanto tiempo".

Al preguntarle al experto si los adolescentes y jóvenes encuentran sentido al mensaje de los grupos de autoayuda, responde: "Este mensaje les habla de una realidad. Si a la hora que debo levantarme decido dormir cinco minutos más, estoy permitiendo que mi cuerpo me domine, con lo cual seguiré posponiendo otras cosas durante el día. Se trata de proporcionarles a los muchachos una lógica para que puedan descubrir por sí mismos la naturaleza del ser humano, que no acepta cuando está equivocado. No nos gusta escuchar opiniones adversas acerca de nuestra persona, familia, etcétera. Hasta el hecho de que nos señalen cuando cometimos una falta de ortografía nos molesta porque nadie nos enseñó a escucharnos a nosotros mismos.

"Mediante los grupos, los muchachos cobran conciencia de un montón de cosas, al decirles: 'Con la droga cometes errores que no harías en tus cinco sentidos, vas en contra de ti mismo; por eso, cuando pasa el efecto, te sientes mal'. De esta manera, aprenden a escuchar lo que sienten, a dejar de justificarse por hacer sufrir a los demás, a encontrar una razón de ser a su vida, a perdonarse por todos los errores cometidos, a no seguir justificando su miedo y mediocridad, a vivir el sólo por hoy. 'Sólo por hoy quiero sentirme pleno y ser honrado conmigo mismo; no quiero intoxicarme.' La recuperación va en el sentido de volver a tener lo más importante que la vida nos dio, el libre albedrío. Esto no se aprende en cualquier escuela", asegura Villarreal.

El director de San José de la Palma advierte que, antes de buscar un tratamiento contra la adicción, hay que tener cuidado con la charlatanería porque algunos "expertos" sin escrúpulos llegan al extremo de prometer eliminarla mediante la inyección de un suero que cambia los neurotransmisores. Para otros, curar la adicción requiere de "dominar a la bestia" (cuerpo), como sucede en los llamados *anexos*, donde practican un tipo de terapia de humillación psicológica y degradación fundada en el criterio de "reducirte a escoria para después levantarte con amor". El entrevistado cuenta cómo, en dichos anexos, amarran a las personas, las golpean y les dan una dieta a base de tortillas y agua. "Ha habido abusos y hasta muertes. En una ocasión encontré a un muchacho que se había escapado tres veces y, para escarmentarlo, le metieron los pies en un bote que después llenaron de cemento. Lo llevé de inmediato a la Cruz Roja. Por suerte, se salvó; los médicos me dijeron que, si el cemento hubiera fraguado, le habrían tenido que amputar las piernas. El personal que labora en estos lugares considera sus métodos como la mejor salida a la adicción, aduciendo que el enfermo requiere de un sometimiento de este tipo para cambiar. No estoy de acuerdo con ellos".

Asimismo, algunas personas que han cursado un diplomado en adicciones se sienten capaces de dar terapia, y otras más pretenden combatir la dependencia a sustancias mediante la práctica de distintas técnicas como la aromaterapia, la acupuntura, la hipnosis, etcétera. Conviene investigar si los tratamientos han tenido éxito y tener cuidado con los charlatanes que sólo agravarían la condición del adicto.

Internamiento

Existen dos tipos de servicios de internamiento:

a) Tratamientos específicos de los cuadros agudos, que se

proporcionan en los servicios de urgencia y consulta externa de clínicas y hospitales.

b) Modalidades residenciales, un ejemplo de las cuales son las comunidades terapéuticas enfocadas al tratamiento de las adicciones. Están indicadas en los casos de "adictos crónicos que han fracasado en otros tratamientos por diversos motivos, principalmente por una falta de contención familiar y social".[3] El modelo de comunidad terapéutica, muy difundido en otros países, constituye una modalidad poco aplicada en México.

Algunas recomendaciones para los padres de muchachos adictos[4]

- La familia no es culpable de la adicción, pero sí es responsable de su reacción ante ella. La mejor manera de ayudar a su hijo a enfrentar el problema radica en no hacer caso omiso de su comportamiento ni encubrirlo o los errores que cometa como resultado de la adicción. El usuario debe responsabilizarse de las consecuencias de su conducta hacia sí mismo y hacia los demás. De lo contrario, perpetuará el consumo. Resulta más probable que un adicto busque ayuda cuando el daño causado por consumir sustancias empieza a ser peor que los efectos negativos provocados por el síndrome de abstinencia.
- No lo hagan sentir culpable, con el fin de intentar que cese en el consumo. Decir cosas como: "Si realmente me quisieras, dejarías de usar drogas" o "Con tu conducta nos estás matando", sólo crea sentimientos negativos que dan

al muchacho nuevas excusas para continuar usando las drogas.

- Eviten proferir amenazas como medio de control. Los padres pueden y deben marcar límites, pero primero hay que analizarlos cuidadosamente y luego ajustarse a ellos. En el caso de que no pretendan cumplirlos, mejor ni mencionarlos.
- No pasen por alto mentiras u otras formas de conducta manipuladora. Eviten absolutamente aliarse con el muchacho para guardar secretos sobre su farmacodependencia.
- No permitan que el adicto les explote económicamente o de cualquier otra manera.
- Hay que ser realista, dejar el hábito del abuso de sustancias es difícil; no se engañen pensando que su hijo está "curado" cuando salió de la desintoxicación; apenas ha dado el primer paso y debe continuar con un tratamiento más completo.
- Busquen ayuda. Existen muchos grupos de ayuda para los familiares y amigos de una persona adicta. En éstos, los familiares escuchan a otras personas con problemas similares o cuentan su experiencia para librarse de todas las emociones reprimidas de tiempo atrás, originadas en la codependencia familiar. También podrán aprender nuevas maneras de tratar al muchacho, con el fin de que no se sienta herido ni temeroso.
- Por todos los medios razonables traten de convencer a su hijo de acudir a un especialista para que lo ayude. No lo fuercen. La mayoría de las veces, un tratamiento fallido se origina en la falta de convicción por parte del enfermo de someterse a él.

- Por lo común, cuando el adicto ha comenzado un tratamiento suele presentar recaídas. Acéptenlas como algo inevitable en enfermedades crónicas.
- No piensen que el cese en el consumo de sustancias resolverá todos los conflictos familiares. Probablemente, otros problemas —antes no atendidos o evitados porque la familia estaba concentrada en el adicto— salgan a la superficie y se hagan evidentes.
- Finalmente, no se olviden de sí mismos y de los demás miembros de su familia.

11 *Resiliencia:* habilidades de vida

Lo bueno es usar los placeres, es decir,
tener siempre cierto control
sobre ellos que no les permita revolverse contra el resto
de lo que forma tu existencia personal.

FERNANDO SAVATER, FILÓSOFO ESPAÑOL
(Ética para Amador)

Imposible aislar a niños y jóvenes con el fin de mantenerlos apartados de las drogas ni evitar que alguno de sus compañeros de escuela, un familiar cercano, un amigo o cualquier desconocido les ofrezca una sustancia ilícita o los inste a beber una copa de alcohol, y otra y otra. Más aun, ni siquiera sería deseable alejarlos de las situaciones de riesgo, con lo cual sólo se conseguiría limitar sus capacidades y minar sus fortalezas. En cambio, sí es factible preparar a los muchachos para decir no —en vez de comportarse como borregos que siguen e imitan a otros en todo— y saber alejarse a tiempo cuando una situación comienza a tornarse peligrosa o se ha salido de control.

Como se vio en el capítulo V, la investigación y los estudios epidemiológicos han permitido identificar los llamados factores de riesgo, que vuelven más vulnerables a los jóvenes a consumir drogas. Del otro lado, gracias a los avances en materia de prevención, hoy día se conoce la importancia de fortalecer a los muchachos, moldeando sus actitudes y desarrollando habilidades protectoras frente al fenómeno de la farmacodependencia. Dichas habilidades de protección reciben diferentes nombres, tales como: destrezas emocionales, herramientas o habilidades de vida, aprendizaje social y emocional o *resiliencia*. En esencia, todas significan lo mismo: fomentar en niños y jóvenes la capacidad de "vivir sanamente en ambientes insanos", según la OMS.

Desde el momento de nacer, los padres pueden empezar a fomentar dichas habilidades en sus hijos. La confianza de los pequeños se va ganando cada día; todo comienza desde el momento en que los padres les demuestran cariño, los escuchan, se interesan por cuanto les ocurre, juegan con ellos. En fin, construyen una conexión positiva con sus hijos, a quienes no les importa cuánto saben los adultos, sino la manera como los cuidan y se ocupan de ellos.

El concepto de *resiliencia*

En los últimos años, los estudiosos del fenómeno de las adicciones han constatado que, a pesar de hallarse expuestos a situaciones de alto riesgo, algunos niños y jóvenes reaccionaron de manera favorable, evitando, o cuando menos retrasando, su inicio en el consumo de tabaco, alcohol u otras drogas. De tal observación surgió la idea de aplicar el concepto de *resiliencia* a la prevención de la farmacodependencia. Este vocablo proviene del latín *resilio,* que significa volver atrás, rebotar, y se aplica en ingeniería a aquellos cuerpos capaces de recobrar su forma original después de someterse a una presión deformadora. El término fue adaptado a las ciencias sociales para designar a los muchachos que, a pesar de nacer y vivir en situaciones de alto riesgo (pobreza, padres abusadores de drogas o familias disfuncionales, por ejemplo), mostraron trayectos saludables en su vida. Se define como "la plasticidad necesaria para hacer frente a los golpes de la vida y adaptarse a situaciones cotidianas adversas, comprendiendo el desarrollo de habilidades sociales, una adecuada resolución del estrés, capacidad de autocorrección e imaginación".[1]

La posibilidad de respuesta frente a la adversidad vuelve *resilientes* a los individuos y representa el principal objetivo de diversos programas aplicados en distintos países del mundo con el interés de impulsar en los niños habilidades y actitudes tendientes a mantenerlos al margen de la subcultura de las drogas.

Aunque se considera desde una dimensión personal en tanto que constituye un rasgo de los individuos, la *resiliencia* se desarrolla únicamente en ambientes protegidos; por eso, requiere del apoyo de la comunidad. Las personas no nacen con la habilidad, sino que pueden adquirirla a lo largo de su infancia, aprendiendo a fortalecerse ante un ambiente adverso y enfrentar de manera satisfactoria las etapas de transición (adolescencia, ingreso a la escuela, separación de la familia, etcétera) y eventos significativos inesperados o no controlados (pobreza, maternidad, desempleo, desastres naturales y demás). Igualmente, la *resiliencia* es dinámica; varía a lo largo del tiempo de acuerdo con las circunstancias, el desarrollo de los individuos o del sistema y los distintos estímulos a que se encuentran expuestos. Por lo tanto, supone que los esfuerzos se centren en la fortaleza y la flexibilidad de ajuste de las personas, no en sus debilidades.

Entre los factores que contribuyen a formar jóvenes *resilientes* se cuentan:[2]

- Relación estrecha con los padres u otro adulto, quien asegura un ambiente rodeado de afecto desde edades tempranas y de manera consistente (la presencia de una relación cálida, nutricia y apoyadora al menos con uno de los padres, protege o mitiga los efectos nocivos de un medio adverso).
- Sentimientos de éxito, de control y de respeto de los niños y los jóvenes por ellos mismos.
- Fuertes recursos internos (por ejemplo, buena salud física y psicológica) y externos (contar con fuertes redes sociales de apoyo en la familia, la escuela y la comunidad).
- Habilidades sociales, como las capacidades para comunicarse y negociar, tomar buenas decisiones y rechazar actividades peligrosas, entre otras.
- Capacidad para resolver problemas.
- Percepción de que las adversidades se pueden resolver con perseverancia y esfuerzo.

Las habilidades de vida más importantes

Hablaremos aquí sobre el fomento de algunas de las destrezas que contribuyen a formar niños y jóvenes *resilientes*; otras más se han tratado a lo largo del libro, como: manejo del estrés, establecimiento de reglas claras y realistas dentro del hogar y expresión de los sentimientos. Aunque las abordaremos en forma separada, las habilidades de vida se relacionan entre sí, de manera que una sólida autoestima repercutirá en una fuerte motivación de logro, del mismo modo que la inteligencia y la empatía harán posible una socialización exitosa. Todas ellas cobran gran importancia de cara al fortalecimiento del carácter de los niños y jóvenes, que sin duda se reflejará en una conducta más sana, alejada de las drogas.

Desde luego, la estabilidad y cohesión familiar y contar con redes sociales sólidas son condiciones favorecedoras de la *resiliencia* en los niños y jóvenes, al igual que: relaciones cálidas y de apoyo entre los cónyuges, responsabilidades compartidas en el hogar, interés de los padres en las actividades escolares de los hijos, participación en actividades extrafamiliares (como la iglesia y clubes, entre otras) y brindar oportunidades de desarrollo y responsabilidades fuera del hogar (por ejemplo, la participación en algún voluntariado).

Inteligencia

En los últimos años el concepto tradicional de inteligencia ha cambiado significativamente, volviéndose mucho más amplio y diverso. Ahora se sabe que existen varios tipos de inteligencia y cada persona puede enfocar la suya a distintas tareas y de un modo diferente a las demás. Igualmente, la inteligencia no permanece tal cual a lo largo del tiempo, pues los seres humanos incrementamos esta capacidad mediante el estudio y el trabajo, reflexionando sobre nosotros mismos y evaluando nuestras acciones.

En psicología, se conocen como *Efecto Pigmalión* los resultados de un estudio clásico realizado a fines de los 70 por R. Rosenthal en una escuela de Estados Unidos. Al inicio del curso, el director llamó a los profesores y les comunicó que ese año les habían asignado un grupo de estudiantes con una inteligencia superior al promedio. Ocho meses después, los convocó de nuevo para informarles que dichos alumnos mostraban un mayor desarrollo intelectual y eran más curiosos y adaptables ¡aun cuando formaban un grupo heterogéneo, sin aptitudes especiales! La diferencia consistió en las altas expectativas de los maestros hacia sus alumnos. Según esta profecía de autorrealización, también las expectativas de los padres con respecto a sus hijos afectan de tal manera su conducta que tienden a cumplirse. En esta vertiente, ¿cómo estimula el lector a sus hijos? ¿Espera de ellos lo mejor o lo peor, en todos sentidos?

Cuidado de la salud y la alimentación

El funcionamiento de su cuerpo y la manera como deben cuidarlo constituye un factor de protección básico para que los niños y los jóvenes se mantengan al margen de las drogas. Este aspecto de la prevención cobra especial relevancia en ambientes donde los muchachos carecen de los elementos necesarios para mantener una buena salud, como son: acceso a los servicios sanitarios básicos, aprender hábitos de higiene, recibir una buena alimentación desde el nacimiento y evitar el exceso de tensiones y emociones negativas que, al bajar las defensas naturales del cuerpo, propician la adquisición de enfermedades.

El manejo de la sexualidad también forma parte de un enfoque preventivo integral, que considera al ser humano en sus diversas facetas. En una época de gran aumento de enfermedades de transmisión sexual de nueva generación, como el VIH/sida, el herpes genital y el virus del papiloma, entre otras —producto, en ocasiones, de la falta de precaución y abandono que manifiestan los jóvenes al encontrarse bajo los efectos de las drogas—, resulta fundamental tratar estos temas en el hogar, enseñando a los niños a respetar y conservar sano un cuerpo dentro del cual habrán de vivir toda su vida.

Concepto de sí mismo y sólida autoestima

Desde su nacimiento, todos los niños necesitan amor; sin el contacto humano, los seres humanos moriríamos. El sentimiento básico de seguridad resulta fundamental para lo que el psicólogo René Spitz ha llamado la *formación del yo*, y tiene como origen la protección del niño, "el grado en que se sienta acogido, amado, aceptado, todo ello captado por la satisfacción de sus más imperiosas necesidades".[3] En la primera infancia adquiere ese sentimiento básico de seguridad que le permitirá posteriormente elaborar su autoconcepto.

Conocerse a sí mismo implica, para el niño, tomar conciencia de sus fortalezas y debilidades, verse desde una óptica positiva, pero con fundamentos en la realidad, con el fin de poder mejorar y evitar altibajos que afectarían su autoestima. Los padres pueden enseñar a sus hijos a identificar lo que sienten y piensan sobre su persona, y ponerlo en palabras, preguntándoles: "¿Para qué eres bueno, cuáles son tus habilidades? ¿Qué te gustaría aprender? ¿Qué sientes, qué piensas, qué deseas hacer?", con lo cual aprenderán a escucharse a sí mismos e irse conociendo poco a poco. Con este interés genuino, los padres le están enviando al niño un mensaje: "Creo en ti, tú puedes, tú vales".

Emparentada con el conocimiento de sí mismo se encuentra la autoestima, que se considera como el punto de partida para el desarrollo positivo de las relaciones humanas, el aprendizaje, la creatividad y la responsabilidad. Los expertos coinciden en que la atención amorosa representa uno de los ingredientes más importantes para elevar la autoestima de un niño, y la falta de ella constituye una de las causas del abuso de drogas. Sin embargo, ayudar a los niños a desarrollar el amor propio no es una tarea fácil; se requiere de un esfuerzo paterno basado en conocimientos y perseverancia. Padres "demasiado protectores o (que) hacen demasiado por sus hijos no les permitirán desarrollar una sensación de dominio. Los que exigen de sus hijos cosas que aún no son capaces de cumplir pueden provocar que se sientan inadecuados. Las circunstancias paternas y ambientales ideales son raras; por ello muchas personas crecen con una autoestima incierta".[4]

La autoestima, entonces, parte del amor por uno mismo, lo cual implica el cuidado de la salud, la aceptación de los valores y las virtudes, respeto a sí mismo y hacia los demás y la seguridad en lo que se está haciendo. Cuando los padres aman, apoyan y elogian los logros de sus hijos, están ayudándolos a sentir amor propio y autoeficacia (confianza en que sus propios esfuerzos producirán los efectos deseados). Entre las conductas tendientes a fomentar la autoestima en niños y jóvenes se cuentan:[5]

a) Aceptarlos como son, nunca compararlos con sus hermanos o con otros muchachos porque, de lo contrario, estarán rechazándolos y debilitando su autoconcepto.

b) Demostrarles un interés genuino, lo cual no quiere decir procurarles todos los objetos o comodidades de acuerdo con sus posibilidades económicas, sino mantenerse al tanto de lo que les interesa o inquieta, a qué le temen, qué les gusta, a quién estiman o aman, etcétera.
c) Ayudarlos a tener confianza en sí mismos, para que puedan valorarse. Celebrar sus esfuerzos y triunfos —y no sólo criticar sus comportamientos negativos—, además de hacerlos sentir que son importantes y sus opiniones cuentan dentro de la familia, son las bases de una autoestima fuerte.

Identificación, expresión y manejo de los sentimientos

¿Se siente usted capaz de reconocer en sí mismo emociones como la cólera, el miedo, la tristeza, el amor o la alegría? ¿Sabe identificar qué desencadena sus emociones? Cuando está triste, ¿se torna irascible, se enoja por cosas sin importancia, se resfría, llora a solas o en brazos de alguien que es capaz de escucharle? ¿Siempre necesita que lo estimulen para realizar un buen trabajo? ¿Realiza actos que perjudican su propia estima?

Los adultos deberíamos hacernos estas y otras preguntas, antes de intentar ayudar a los niños y los jóvenes a identificar sus sentimientos. Una de las claves de la aptitud emocional estriba en la capacidad de discriminar los sentimientos, darles nombre y expresarlos, pero a veces implica un esfuerzo importante porque nadie nos ha entrenado para ello. Por eso, cuando interrogamos a una persona acerca de cómo se siente, por lo común escuchamos un escueto "bien" o "mal" como respuesta. ¿Acaso "bien" quiere decir contento, calmado, satisfecho, esperanzado, feliz? ¿"Mal" significa triste, derrotado, desesperado, enojado, amargado? En fin, la gama de posibilidades resulta enorme y palabras tan vagas como "bien" y "mal" no aportan nada.

La complejidad del cúmulo de emociones que los humanos somos incapaces de expresar se convierte, sobre todo para los niños, en un problema no identificado; por eso las esconden. Ayudarlos a reconocer sus sentimientos, expresándolos en forma abierta y clara, y ver los vínculos existentes entre pensamientos, sentimientos y reacciones frente a lo que les rodea, constituye también una vía para que niños y jóvenes se conozcan y afirmen su autoestima. Con este objetivo en la mira, el llamado "Cubo de los sentimientos", un ejercicio muy simple pero con probada utilidad, se ha puesto en práctica en Nueva Heaven con niños de primero de primaria. La dinámica en el salón de clase consiste en que los pequeños formen un círculo y hagan girar un gran cubo en el cual, cada uno de sus lados, lleva escritas palabras como "triste", "enojado", "nervioso", etcétera. Por turno, los jugadores lanzan el cubo y describen libremente un momento en que hayan experimentado ese sentimiento. ¿Por qué no practicarlo en casa?

Empatía

Habilidad social clave que se define como "la capacidad de adivinar o intuir el estado anímico del otro y de compartir sus emociones con una actitud de comprensión, apertura y apoyo",[6] lo cual quiere decir, en términos llanos, ponerse en los zapatos del otro, comprender sus sentimientos y puntos de vista. Un 90% o más del contenido de un mensaje emocional se atribuye al lenguaje no verbal. Algunos expertos en comunicación consideran que las personas más capaces de interpretar las emociones transmitidas por los demás a través de señales no verbales, manifiestan mayor empatía.

Se ha visto que los abusadores de niños, los autores de violencia familiar o violadores se muestran incapaces de sentir empatía, de tomar en cuenta los sentimientos o sufrimientos ajenos, por eso infligen daño a sus víctimas. De ese lado de la moneda se ubican los vendedores dedicados al narcotráfico hormiga, quienes han llegado al extremo de involucrar a sus propios hijos en el negocio familiar, según ha denunciado Joel Ortega, delegado de Gustavo A. Madero en la ciudad de México.[7]

Autocontrol

A pesar de su tartamudeo, Demóstenes ansiaba ser orador. Durante meses se colocó guijarros en la boca y practicó sin descanso hasta que consiguió hablar con claridad. El caso del político ateniense se emplea con frecuencia para explicar el hecho de que ambicionar algo constituye una condición esencial, mas no suficiente, pues se precisan fuerza interior y autodisciplina si se desea alcanzar un objetivo determinado. El autocontrol supone "la capacidad de hacer las mejores elecciones en situaciones que así lo requieran. Implica ser capaz de postergar la gratificación, resistir presiones y tentaciones y responder de manera reflexiva a factores situacionales y oportunidades".[8] La formación de hábitos resulta fundamental, ya que se aprende a dominar los arrebatos, pasiones e impulsos a través de la práctica.

En la vida diaria existe un sinnúmero de presiones e influencias que afectan nuestra capacidad de decidir. Los adultos pueden enfatizar esta idea en los jóvenes, explicándoles la importancia de no dejarse influir por los demás para atarse a cosas que engañosamente les prometan una sensación de libertad, como las drogas. Entrenarlos para ejercer el autocontrol y la reflexión antes de actuar representa una manera de ayudarlos a fortalecerse ante situaciones de riesgo. Cuando los jóvenes enfrenten una situación estresante o difícil de solucionar, conviene practicar con ellos los siguientes pasos:

a) Detenerse, calmarse y pensar antes de actuar.
b) Contar el problema y explicar lo que se siente.
c) Pensar en un objetivo positivo y en unas cuantas soluciones que ayuden a alcanzarlo.
d) Reflexionar sobre las posibles consecuencias de la decisión.
e) Adelante; poner en práctica el mejor plan.

Capacidad de gozo

¿Cuál es el sentido de la vida? ¿En qué consiste la felicidad? *Eclesiastés* lo explica así: "Si la lógica te dice que a la larga nada es distinto porque todos morimos y desaparecemos, entonces *no vivas a la larga*. En vez de cavilar acerca del hecho de que nada perdura, acéptalo como una verdad en la vida, y aprende a encontrarle sentido a lo transitorio, a las alegrías que perecen. Mas aun, gózalo porque es sólo un momento que no habrá de durar".[9]

La reflexión anterior nos lleva a pensar que corremos todo el día, empeñados en llevar a cabo un montón de tareas, pero no alcanzamos a percatarnos de los milagros cotidianos que suceden a nuestro alrededor, como disfrutar de una charla con un amigo, acariciar a nuestros hijos, saborear una comida casera, dar un paseo, contemplar un hermoso paisaje, leer un artículo interesante.

Aprender a valorar estos pequeños destellos de felicidad y transmitir a nuestros hijos la sabiduría de vivir día a día, puede convertir su existencia en algo placentero, sin necesidad de recurrir a drogas, a actividades de alto riesgo o a vivir experiencias límite que ponen la adrenalina a tope. No en vano se ha demostrado que entre las características de los niños y los jóvenes *resilientes* se encuentran el optimismo y la tendencia a manifestar sentimientos de esperanza. Mediante las experiencias que viven en su hogar, los muchachos pueden desarrollar esa óptica positiva tan necesaria para salir al mundo que les espera. Una tarea paterna nada sencilla, teniendo en cuenta que solemos vivir al borde de un ataque de nervios. No obstante, mirar el pasado y regodearse en él produce depresión. Vivir en el futuro, hipotecar continuamente el presente por lo que va a pasar, sólo puede llevar a la angustia. (...) Actualmente los dos polos, el miedo y la angustia, parecen celebrar un gran festín, una danza macabra de cuyo abrazo sólo escapan aquellos que con serenidad contemplan el presente y dedican el tiempo, que otros creen perder, a mirar la vida con sosiego, a ver las cosas como son, a no marcarse expectativas desproporcionadas. En fin, a no pretender de la vida más de lo que ésta suele dar, que no es gran cosa, comparada con los siempre desaforados apetitos que suele tener el ego.

"La pastilla puede actuar en ciertos momentos de parche, muleta o hasta de clavo ardiendo al que es necesario agarrarse para no caer despeñado. Pero hay angustias que la pastilla no cura, que ni siquiera llega a difuminar. Soportar la incertidumbre, crear la ilusión de que se puede controlar lo incontrolable, desechar hasta con rudeza los pensamientos que filtran siempre en grises o negros, parecen ser hasta ahora las actitudes y escudos más eficaces para reducir esa realidad 'blanda' y a veces sin sentido, que todos percibimos alguna vez".[10]

Manejo del estrés

Existen ciertos indicadores que pueden ayudarnos a identificar cuando padecemos un exceso de tensión o estrés:[11]

- Cansancio y sueño la mayor parte del tiempo.
- Inactividad.
- Incumplimiento de obligaciones.
- No responder a las expectativas de los hijos o los padres.
- Contraer enfermedades con frecuencia.
- Padecer insomnio o dificultad para conciliar el sueño.
- Confusión o abuso de alcohol o de otras drogas.
- Poca capacidad para concentrarse o poner atención.
- Enojo fácil o peleas frecuentes.
- Llanto que surge con facilidad.

En el capítulo 4 se mencionan algunas recomendaciones para ayudar a los jóvenes a reducir este mal de nuestro tiempo.

Manejo del tiempo libre

La campaña que propuso a los jóvenes *Di no a las drogas*, nunca aclaró a qué podían decir sí. Aunque en el hogar se prepara a los niños y los adolescentes para tomar decisiones libre y responsablemente, por lo común los padres no les enseñan a manejar el aburrimiento; por eso caen en la trampa de la publicidad que asocia el entretenimiento con el consumo como fórmula de éxito y diversión asegurada, sin pensar en las consecuencias de sus actos. Así, pasear y comprar en los centros comerciales constituye el pasatiempo favorito de los muchachos de cierto nivel socioeconómico. En cuanto a los de menores recursos, emplean mucho de su tiempo de ocio en la calle, donde aprenden de todo desde que son pequeños. Diversas investigaciones muestran cómo cada vez resulta más fácil, para los adolescentes y jóvenes, obtener drogas en los distintos ambientes que frecuentan bien sea en la calle o en los sitios de diversión.

En contraparte, las comunidades —familia, escuela y sociedad— no se han propuesto brindar alternativas, crear lugares de reunión, instalaciones recreativas o deportivas, donde los jóvenes cultiven sus aficiones o desarrollen habilidades de todo tipo. Participar en círculos de lectura o apreciación cinematográfica; visitar museos; aprender a pintar, a tocar un instrumento o a jugar ajedrez son, entre muchas otras, actividades poco usuales en una sociedad como la nuestra, volcada en el consumo y con frecuencia indiferente ante la escasa formación espiritual y artística de sus jóvenes. ¿Cuáles son las necesidades de ocio y diversión juveniles en la actualidad? Los adultos hemos descuidado este punto, y luego nos quejamos de que los "narcos" estén ganándolos.

Habilidades sociales

Los padres de Juan y Elena expresan abiertamente frente a sus hijos su opinión con respecto a los compañeros de trabajo o amigos comunes. Sin pudor alguno, cuentan cómo uno de ellos le fue infiel a su pareja, otro cometió un desfalco en la compañía y una más es desaseada y no atiende bien su casa. Nadie parece gustar a los padres de Juan y Elena, que no dejan "títere con cabeza" en cuanto a amistades y conocidos se refiere. Quizá debido a eso, a últimas fechas rara vez los invitan a otras casas o a salir al cine o a cenar, como sucedía antes. ¿Cuál cree el lector que será la opinión de estos niños, cuando crezcan, en torno a temas como la amistad, el respeto a la privacía y la diversidad de formas de pensar de los demás, la tolerancia o la apertura hacia nuevas ideas?

De nuevo, las habilidades sociales se aprenden en casa y son fundamentales para sortear los problemas que los muchachos afrontarán en la adolescencia y la juventud. Estudios realizados a largo plazo entre gran cantidad de niños que crecieron en la pobreza, en el seno de familias abusivas o con un padre o madre que padecía una severa enfermedad mental, y a pesar de todo lograron salir airosos de ese ambiente negativo, han revelado las claves de su destreza emocional: "Una sociabilidad ganadora que atrae a los demás, confianza en ellos mismos, una actitud persistentemente optimista ante el fracaso y la frustración, la habilidad de recuperarse rápidamente tras un revés, y una personalidad fácil de llevar".[12]

Si volvemos al caso de Juan y Elena, sus padres parecen incapaces de mostrar empatía, afecto, responsabilidad y prudencia (para, cuando menos, no contar todo lo referente a la "mala conducta" de sus amigos frente a sus hijos). Tales características, sumadas a las capacidades para expresarse y desenvolverse en la interacción social con propios y extraños, y adaptarse a distintas situaciones, representan la base de las habilidades sociales de un individuo. ¿Cómo empezar? Enseñe a los niños a romper el hielo con las personas, por ejemplo diciendo: "He oído que estuviste en tal concierto, viaje, etcétera". Aprender que somos seres sociales y necesitamos pedir apoyo, convocar y reunir a los demás para salir adelante en lo que nos propongamos, puede ser la base para ayudar a los jóvenes a entablar relaciones interpersonales significativas por el resto de su vida.

Orientación hacia el futuro

Al nacer, Rodrigo era un niño precioso y lleno de salud. A los dos años de edad sus padres supieron que había contraído una enfermedad y sería sordo por el resto de su vida. Una vez repuestos de la dolorosa noticia, Alicia y Pedro se propusieron lograr que Rodrigo fuera un niño como los demás. Pero se equivocaron porque Rodrigo nunca sería como los otros niños, sino que se convertiría en un muchacho privilegiado, de esos pocos que crecen ante la adversidad, logrando todos sus propósitos. Su fuerza interior y entereza le han permitido superar grandes obstáculos a lo largo de su vida. Tras haber estudiado en colegios comunes y corrientes (ahorraremos al lector los detalles sobre el *via crucis* que vivieron sus padres todos estos años, en un país caracterizado por la carencia de los servicios y atención requeridos por los niños con necesidades especiales), actualmente Rodrigo cursa la carrera de negocios internacionales. Además, como muestra de que le gustan los grandes retos, después de pasar unos meses solo en Australia, ha decidido perfeccionar —aunque sea difícil de creer— sus conocimientos de inglés y francés.

Todo lo anterior demuestra que Rodrigo está hecho de una madera especial, pero sus logros nunca habrían sido posibles de no haber contado con unos padres amorosos y tenaces, empeñados en transformarlo en un muchacho fuerte y seguro. Ellos representan el mejor ejemplo de lo que en psicología se conoce como la *profecía de autorrealización*, fundamentada en las esperanzas de éxito que una persona manifiesta con respecto a la conducta de otra, sobre todo si esta última valora en mucho la opinión de la primera. Así, según se ha visto, las metas alcanzadas por un niño con limitaciones físicas dependen no tanto de la naturaleza, severidad u origen de su condición, como de las actitudes de quienes le rodean. ¡Cómo tenemos que aprender los padres de niños "normales" de Alicia, Pedro y Rodrigo!

Una vacuna antiadicciones

Nos encontramos en la etapa inicial de la prevención. Todavía no se conocen, con certeza, los componentes que debería incluir una "vacuna" para inmunizar a niños y jóvenes contra el alcoholismo y la drogadicción. A continuación se sugieren algunos ingredientes básicos de dicha vacuna que, como las otras, aquellas que permiten a los niños crecer sanos, debería aplicarse en casa todos los días, en dosis constantes, con paciencia y dedicación:

- Propiciar una *comunicación franca entre padres e hijos*, en un ambiente donde no se haga sentir culpables a los jóvenes cuando expresen sus dudas sobre temas de sexualidad o drogadicción, por ejemplo. "Me extrañan los comerciales de televisión donde presentan a una familia que tenía muy buena comunicación con su hijo hasta que cumplió 13 ó 14 años y luego se pierde a causa de la droga. No creo que un proceso de ese tipo se pierda así. Si los padres conocen a sus hijos y han tenido una buena comunicación con ellos, difícilmente van a dejar de notar los cambios en su comportamiento. Cuando los chicos empiezan a consumir drogas su conducta se transforma de manera drástica", asegura el doctor García.

- *Hablar con honestidad, ante todo.* Si un padre de familia fuma y ve que su hijo también lo hace, lo mejor que puede decirle es: "Todavía estás muy pequeño para fumar, espera un poco a que seas más grande". Aunque se piense que los jóvenes no escuchan los consejos paternos, las investigaciones muestran lo contrario: 60% de los adolescentes encuestados respondieron que daban el mayor peso a un consejo de sus padres, después al de sus maestros (35%) y por último al de sus amigos (sólo 24%).[13]
- *Tratar de proporcionar a los jóvenes las habilidades sociales para decir no,* para no caer en la tentación. Deberíamos trabajar más para crearles conciencia acerca de los riesgos existentes y la manera de afrontarlos. Ya después ellos decidirán si les importa correrlos. Se ha visto que los adolescentes que resisten la experimentación temprana con drogas se convierten en expertos en resolver problemas y autoayudarse.
- *Involucrar más a los jóvenes en los aspectos relacionados con la prevención,* mediante la difusión de ejemplos exitosos que los motiven a vivir de una manera distinta, para contrarrestar las acciones de aquellos grupos que fomentan el consumo.
- *Mantenerlos al margen del consumismo.* Ayudar a los mu-

chachos a ser ellos mismos, a entender que usar unos tenis marca Michael Jordan no les va a dar más personalidad.

- *Proporcionar a los jóvenes rutas de escape*. Es conveniente enseñar a los niños y los adolescentes a alejarse de los lugares donde pueden ser presionados a utilizar drogas. Los muchachos también deben aprender a tener iniciativa y saber abandonar a tiempo el lugar donde se encuentran, cuando perciban que habrá problemas.
- *Informar a los muchachos que así lo requieran* sobre las sustancias legales e ilegales, sin satanizarlas ni mitificarlas. Es necesario ofrecer una información clara, entendible y adecuada, nunca excesiva ni pormenorizada, con respecto a las formas de uso y abuso. Convendría dejar de asociar consumo de drogas con muerte, pues esta amenaza no toca las fibras sensibles de los jóvenes, quienes suelen carecer de la percepción de riesgo a futuro. Entonces, para llevar a cabo una prevención efectiva, habría que promover más aquello que los muchachos pueden hacer para disfrutar sin necesidad de utilizar drogas.
- *Enseñar a los muchachos a leer entre líneas*, identificando aquellos mensajes que aparecen en la televisión, el cine, los videos y las revistas, en los cuales se promueve —a veces sutilmente— el consumo de alcohol y otras drogas entre la población joven.
- *Fomentar la práctica de un deporte*. La labor de la escuela resulta fundamental, al incorporar en sus programas la participación de niños y adolescentes en actividades deportivas. Algunos estudios han demostrado que esta

práctica fomenta el sentido de pertenencia, forma estudiantes orgullosos de su escuela y favorece la disciplina y la voluntad de participar.

Glosario

Anorexia Miedo enfermizo a engordar. Numerosos investigadores sugieren que constituye una inclinación de carácter adictivo hacia los efectos de la inanición.

Bong Pipa de agua a través de la cual se fuma la marihuana.

Bulimia Apetito insaciable caracterizado por un atracón (comer en cantidad abundante durante un período breve) seguido de una purga, la cual puede adoptar la forma de vómito, uso de laxantes o diuréticos.

Cafeína Sustancia xantínica con moderado efecto estimulante sobre el SNC; es vasodilatador y diurético a la vez.

Capacidad inmunológica Aptitud del organismo que le impide contraer una enfermedad. Puede ser espontánea o provocada principalmente por medio de vacunas.

Choque anafiláctico Reacción alérgica grave que lleva eventualmente a la muerte.

Club Drugs (mezcla o coctel de drogas) Este término hace referencia a las drogas que consumen los adultos jóvenes en las fiestas donde se baila toda la noche —como los llamados *raves* o *trances*—, los clubes de baile y bares. Numerosos mecanismos de monitoreo de drogas en Estados Unidos advierten sobre el incremento de popularidad que están adquiriendo algunas de las sustancias más dañinas en la elaboración de estas mezclas, como son: el éxtasis, GHB, Rohypnol, Ketamina, metanfetaminas y LSD.

La falta de certeza acerca del origen, agentes farmacológicos, químicos y posibles contaminantes que se emplean para producir este coctel de drogas, hacen extremadamente difícil determinar la toxicidad y las consecuencias médicas que puede tener su uso, pero sí se sabe —a partir de investigaciones realizadas por el National Institute on Drug Abuse, Estados Unidos— que pueden causar serios problemas de salud y en algunos casos, la muerte.

En vista de que algunas de estas mezclas carecen de color, sabor y olor, individuos malintencionados que pretendan intoxicar o sedar a otros las pueden agregar fácilmente a sus bebidas. En los últimos años ha aumentado el número de reportes sobre la práctica de utilizar dichos cocteles de drogas para cometer asaltos sexuales.

Codependencia Patrón de dependencia dolorosa de comportamientos compulsivos y de aprobación de los demás, para tratar de obtener seguridad, autoestima e identidad.

Coma Sopor más o menos profundo, dependiente de ciertas enfermedades, como congestión o hemorragia cerebral, diabetes, intoxicación, etcétera.

Crack Es la forma más adictiva de la cocaína; se obtiene a partir de ésta mediante la utilización de solventes volátiles para que se pueda fumar; por su impureza, tiene un costo menor.

Craving Anhelo fuerte, intenso e irreprimible, la mayoría de las veces, de usar psicotrópicos u otras sustancias; aparece como consecuencia de la pérdida de control sobre el consumo.

Dealer Vendedor de droga.

Delirium tremens Síndrome orgánico cerebral agudo con alteraciones de conciencia, atención, percepción, orientación, pensamiento, memoria, conducta psicomotriz, emocionalidad y disturbios del ciclo sueño-vigilia, que dura de horas a semanas y varía en su grado de severidad.

Depresor Droga psicoactiva que inhibe las funciones del sistema nervioso central. El grupo de sustancias depresoras incluye, entre otros, fármacos tales como el alcohol, los barbitúricos y una enorme variedad de sedantes sintéticos y somníferos.

Droga Es toda sustancia o mezcla de sustancias, distinta a las necesarias para el mantenimiento de la vida, que al introducirse en un organismo modifica alguna de sus funciones y a veces la propia estructura de los tejidos (OMS).

Drogas "duras" En esta clasificación se encuentran los opiáceos, la cocaína, los estimulantes del tipo de las anfetaminas, los sedantes e hipnóticos (por ejemplo: benzodiacepinas, barbitúricos), los alucinógenos y los solventes inhalables. Algunos expertos consideran el alcohol como la droga más dura, debido a su gran efecto neurotóxico y a que causa miles de muertes al año.

Esnifar Forma de consumo de la cocaína que consiste en inhalar por la nariz a través de un tubito desde una superficie plana (se suele utilizar un espejo) donde se coloca la droga en forma de línea o raya. Esta acción recibe el nombre de *perico* o *pericazo*.

Éxtasis Nombre popular de la metilenedioximetanfetamina (Mdma). Droga sintética, psicoactiva, del tipo de las metanfetaminas y de la mezcalina. Sus efectos son estimulantes y alucinógenos.

Fiestas rave "Tienen sus antecedentes en la Inglaterra de finales de los años ochenta y principios de los noventa. Se les denominaba 'Veranos del amor' y *Revolution parties*, siendo sus características principales: la clandestinidad, el uso de *ecstasy*, la liberación de las afectividades y la música *techno*". Son básicamente "reuniones clandestinas a las cuales asisten adolescentes jóvenes con estéticas corporales cósmicas, escuchan música *techno*, usan éxtasis y se recrean 'espacios virtuales'. Estos centros de reunión conllevan una expresión cultural urbana en tanto se configuran sentidos y significados alrededor de las nuevas tecnologías de comunicación. La fugacidad e intensidad las convierten en efímeras".[1]

Grapa Sobre que contiene una dosis usual de cocaína. Además del 20% de cocaína, la *grapa* también puede estar compuesta por acetona, cemento blanco, diazepán, laxante, medicamentos que han caducado, condones molidos (el aceite que contienen facilita la mezcla) y raticida, en algunos casos.

Metabolizar Forma de absorber y eliminar un fármaco. Reacciones químicas que convierten el fármaco en una sustancia menos soluble y más ionizada, por lo tanto, menos reabsorbible y menos reutilizable.

Neuroendocrino Perteneciente o relativo a las influencias nerviosas y endocrinas y en particular a la interacción entre los sistemas nervioso y endocrino (designación de los órganos o glándulas de secreción interna y todo lo relativo a ellos).

Neurosis Término genérico que designa ciertas formas de desadaptación emocional que se traducen en actitudes y conductas peculiares, caracterizadas por la angustia originada en conflictos inconscientes.

Neurotransmisor Conductores nerviosos a través de los cuales inter-cambia mensajes el sistema nervioso central.

Nicotina Compuesto psicoactivo de tipo alcaloide de efecto estimulante y relajante a la vez, que es el principal componente del tabaco.

Opioides u opiáceos Drogas derivadas del opio que tienen la propiedad común de suprimir el dolor, producir euforia con somnolencia placentera y causar dependencia. Son sustancias de alto potencial adictivo.

Paradigma Modelo o ejemplo que se utiliza para explicar la realidad.

Paranoia Perturbación mental fijada en una idea o en un orden de ideas que, a partir de algunos elementos de la realidad, se eslabonan para constituir historias o versiones de esta realidad, exagerando alguno de sus elementos.

Picaderos Lugares adonde acuden los usuarios de heroína para abastecerse de la droga.

Prevalencia Término médico con el que se designa el número de casos de una enfermedad por cada cien mil habitantes.

Psicosis Trastorno mental en el que la capacidad individual para pensar, responder emocionalmente, recordar, comunicarse, interpretar la realidad y conducirse de manera adecuada se encuentra deteriorada.

Sistema nervioso central (SNC) Nombre que recibe el conjunto de órganos (cerebro, cerebelo, bulbo raquídeo y médula espinal) con relación funcional entre sí.

Speedball Mezcla del polvo de cocaína (*crack*) con heroína, que se unta, inyecta o ingiere de diversas maneras.

Sustancias psicoactivas (psicodrogas, psicofármacos o *psicotrópicos)* Son aquellas sustancias que modifican la psique (mente).

Testosterona Hormona sexual masculina que se encarga de proporcionar las características sexuales secundarias.

THC *(Delta-9-tetrahidrocanabinol)* Principal ingrediente activo de la *Cannabis sativa*, a la que se atribuye la mayoría de las acciones psicoactivas de la planta.

Vigorexia (también llamada *anorexia inversa* o *dismorfia muscular*) Trastorno que tiene su origen en una percepción errónea del propio cuerpo y lleva a desarrollar una musculatura exagerada.

Notas

Capítulo 1

[1] Desde 1963, la Organización Mundial de la Salud reemplazó el término de *adicción* o *habituación* por el de *dependencia*, pero en este libro se emplearán de manera indistinta.

[2] Rodríguez, Pepe, *Adicción a sectas*, Ediciones Grupo Zeta, Barcelona, 2000, p. 72.

[3] Cifras citadas en el Programa contra el Alcoholismo y Abuso de Bebidas Alcohólicas, Secretaría de Salud/Conadic, Programa Nacional de Salud 2000-2006, México.

[4] *El consumo de drogas en México: Diagnóstico, tendencias y acciones*, Secretaría de Salud/Conadic, 1999, pp. 12,13.

[5] Los términos que aparecen destacados en **negritas** se definen en el Glosario, al final del libro.

[6] *Manual diagnóstico y estadístico de los trastornos mentales*, DSM IV, Ed. Masson, Barcelona, 1995.

[7] Chopra, Deepak, *Vencer las adicciones*, Javier Vergara Editor, Argentina, 1997, p. 72. El autor cita a ambos intelectuales en este libro, donde propone una solución a este mal basada en las enseñanzas de la ciencia india conocida como Ayurveda.

[8] La doctora Laura Verónica Eroza es psiquiatra especialista en adicciones.

[9] El doctor Jesús García funge como director de Salud, Equidad y Servicios a Jóvenes en el Instituto Mexicano de la Juventud.

[10] Citado por Twerski, Abraham J., *El pensamiento adictivo*, Ed. Promexa, México, 1999, p. 52.

[11] Rodríguez, *op. cit.*, p. 91.

[12] Por respeto a la intimidad de los pacientes y sus familiares, la identidad de las personas que ofrecieron un testimonio para realizar este libro se mantendrá en el anonimato.

[13] Rogelio Villarreal Patiño fue director de Postratamiento en la Clínica Oceánica, donde trabaja como asesor externo; asimismo, dirige la clínica de rehabilitación Hacienda San José de la Palma, ambas en México.

[14] La doctora María Elena Medina-Mora, quizá la investigadora que con mayor cuidado y seriedad ha estudiado el fenómeno de las adicciones a sustancias en México, ocupa el puesto de directora de Investigaciones Epidemiológicas y Psicosociales del Instituto Nacional de Psiquiatría Ramón de la Fuente Muñiz.

[15] Vásquez, Guillermo H., *Lo que los jóvenes deben saber acerca de las drogas*, Casa Bautista de Publicaciones, México, 1978, pp. 63-65.

Capítulo 2

[1] Rafael Velasco Fernández, *Las adicciones*, p. 101.

[2] *Ibídem*, pp. 105-106.

[3] Testimonio de Alfredo G., en *Experiencias de drogadictos anónimos*, Drogadictos Anónimos, A.C., México, pp. 9-11.

[4] *Ibídem*, testimonio de Héctor F., pp. 17-21.

[5] Material proporcionado por la American Academy of Child and Adolescent Psychiatry (Aacap).

[6] Medina-Mora *et al.*, "La situación del consumo de sustancias entre estudiantes de la ciudad de México", en *Salud Mental*, Vol. 22, No. 2, abril de 1999.

[7] Sandra Otálora De Gré, psicóloga especializada en adicciones, es socia de la clínica de rehabilitación Génesis.

[8] Centros de Integración Juvenil, "Evaluación de necesidades de resultados del proyecto Orientación Preventiva a Adultos Jóvenes", CIJ, México, 2001, pp. 30-38.

[9] Datos proporcionados por el Instituto Nacional de Estadística, Geografía e Informática (Inegi).

[10] Encuesta Nacional de Adicciones, ENA, 1991.

[11] Encuesta Nacional de Adicciones, ENA, 1993.

[12] María Isabel Zepeda, "Enfoque de género sistémico en la autoestima de la mujer adicta", en *Con ganas de vivir. Una vida sin violencia es un derecho nuestro*, Pnufid, México, 1998, p. 141.

[13] Castro, María Elena *et. al.*, "El impacto del uso y abuso de sustancias tóxicas en el estilo de vida de las mujeres: estudio psicosocial de casos", en *Ibídem*, p. 136.

[14] Después de trabajar en una clínica para mujeres en Estados Unidos, y cinco años en Oceánica, Ed Lacey fundó Avalon, una clínica donde ellas acuden para atenderse en materia de adicciones y problemas alimenticios. "Vi que en Latinoamérica no había un centro donde las

mujeres pudieran sentirse orgullosas con ellas mismas, tras su recuperación. En grupos mixtos una mujer no se atreve a contar que sufrió abuso sexual, por ejemplo. Esto afecta su manera de recuperarse. Pero sí puede trabajar esta situación si se relaciona con mujeres, por eso el grupo de especialistas de Avalon es exclusivamente femenino. Nuestro objetivo principal es enseñarlas a vivir como mujeres con dignidad".

[15] ENA, 1998.

[16] Encuesta Domiciliaria Nacional sobre Abuso de Drogas (Nhsda).

[17] ENA, 1998.

[18] "Las chicas ya fuman más que los chicos", en el diario *El País*, 11 de abril de 2001, p. 23.

[19] Cfr. *Cómo proteger a tus hijos contra las drogas*, pp. 76-78.

[20] Cifras proporcionadas por el Consejo Nacional contra las Adicciones (Conadic).

[21] Montignac, Michel, *El método Montignac. Especial mujer*, Plaza & Janés Editores, Barcelona, 1998, pp. 62-63.

[22] Para obtener información adicional, consulte *Anorexia y bulimia* (Ed. Norma, 2000), una excelente investigación que, sobre la realidad latinoamericana en esta materia, ha realizado la periodista Margarita Ester González.

[23] Romero, Martha P., y Medina-Mora, María Elena, "Las adicciones en mujeres: problema genéricamente construido", en Pnufid, *op. cit.*, p. 14.

[24] Modificado de "Cinco razones que esgrimen los jóvenes para usar alcohol, tabaco y drogas ilícitas", US Department of Health and Human Services.

[25] Los datos estadísticos que aparecen en este apartado fueron extraídos de la ENA 1993, la ENA 1998, la Encuesta Nacional sobre Uso de Drogas entre la Comunidad Escolar 1991, la Encuesta de Estudiantes de Enseñanza Media Superior y el Programa Contra el Alcoholismo y Abuso de Bebidas Alcohólicas 2000-2006.

[26] Testimonio de Marcela A., en *Experiencias de...*, p. 27.

[27] Declaraciones dadas por el funcionario en "El Mañanero", noticiero conducido por el payaso *Brozo*, el 10 de julio de 2002, México.

[28] Testimonio de Ricardo E., en *Experiencias de...*, p. 41.

[29] Esta información del Inegi excluye los casos ocurridos en el Distrito Federal.

[30] "La epidemia de sida: situación en diciembre de 2001", página web de Onusida, Programa Conjunto de las Naciones Unidas sobre el VIH/sida, Organización Mundial de la Salud.
[31] Ortiz, Raúl *et al.*, "La mujer usuaria de drogas inyectables en la frontera norte de México", en Pnufid, *op. cit.*, p. 90.
[32] CIJ, *op. cit.*, p. 30.

Capítulo 3

[1] Quintana Cabanas, José María, "El papel de la familia en la existencia humana", en *La educación personalizada en la familia*, dirigido por Víctor García Hoz, Ed. Rialp, Madrid, 1990, p. 71.
[2] Fanny Feldman, maestra en psicoterapia y especialista en adicciones, trabaja en el Instituto Mexicano de Psicoterapia Cognitivo Conductual (Impcc).
[3] Como terapeuta en el campo de las adicciones, Mari Carmen González brinda sus servicios en las clínicas de rehabilitación Hacienda San José de la Palma y La Joya, en México.
[4] Twerski, *op. cit.*, p. 57.
[5] Definición aparecida en la Conferencia Nacional sobre la Codependencia, septiembre de 1989, México.
[6] *Cfr.* "Padres preparados: 21 ideas y consejos que le ayudarán a alejar a sus hijos de las drogas. Comunicación. La anti-droga", folleto elaborado por la Oficina de la Política Nacional sobre el Control de Drogas de Estados Unidos.
[7] Modificado de "Common concerns when discussing drugs with your child", folleto publicado por el American Council for Drug Education de Estados Unidos.

Capítulo 4

[1] Lorenz, Konrad *et al.*, "La enemistad entre generaciones", en *Juego y desarrollo*, Ed. Crítica (Grupo Editorial Grijalbo), Barcelona, 1982, pp. 56-104.
[2] Frankl, Viktor E., *El hombre en busca de sentido*, Editorial Herder, Barcelona, 1988, p. 106.
[3] Rojas, Enrique, *La ilusión de vivir*, Ediciones Temas de Hoy, 5a. edición, Madrid, 1998, p. 151.

[4] Bastante, Óscar, "Marilyn Manson. Los *riffs* satánicos", en: *Guitar Player Magazine*, No. 92, julio de 2001, p. 69.
[5] En: www.ieanet.com, página web del Instituto para el Estudio de las Adicciones de España, 27 de marzo de 2002.
[6] "Los niños y el internet", Información para la Familia N°59, boletín publicado por la American Academy of Child & Adolescent Psychiatry, abril de 1998.
[7] *Cfr.* "Stress & Substance Abuse", "A Guide for Parents, Grandparents, Elders, Mentors and other Caregivers Keeping Youth Drug Free", boletines publicados por el National Institute on Drug Abuse (Nida) del US Department of Health and Human Services, marzo de 2002, y "Cómo se puede ayudar a los adolescentes con estrés", folleto difundido por la American Academy of Child & Adolescent Psychiatry, febrero de 2002.
[8] Llanes *et. al.*, *Protección de la comunidad ante adicciones y violencia*, Modelo Preventivo de Riesgos Psicosociales *Chimalli*, Inepar, Ed. Pax, México, 2001, p. 88.

Capítulo 5

[1] *Cfr.* "Organizando la comunidad hispano/latina para la prevención de alcohol, tabaco y drogas ilícitas". Manual para la comunidad hispano/latina. Realizado por Samhsa y Center for Substance Abuse Prevention (Csap), del Substance Abuse and Mental Health Service Administration de Estados Unidos, y "Para evitar el consumo de drogas entre niños y adolescentes", Cuaderno Temático, Vol. 17, Centros de Integración Juvenil, México, 1997.
[2] "Percepción de riesgo y consumo de drogas en jóvenes mexicanos", en *Conadic Informa*, boletín de la Secretaría de Salud y el Conadic, México, junio de 2002, p. 7.
[3] *Ibídem*, p. 10.
[4] *Cfr. Farmacoterapia*, *op. cit.*
[5] ENA 1993.
[6] "La ciudad del polvo", en la revista *Cambio*, año 2, N°54, 23 al 29 de junio de 2002, p. 14.
[7] "Ubican en escuelas comercio de drogas", en diario *Reforma*, 28 de junio de 2002, p. 1B.
[8] González, Benjamín, *Encuesta nacional sobre el uso de drogas entre la comunidad escolar*, SEP, México, 1994.

[9] National Families in Action (Nfia), una organización estadounidense de padres que se han unido para evitar que sus hijos consuman drogas, distribuye esta información a través de su dirección electrónica: nfia@nationalfamilies.org.

[10] Ortiz, A.; Galván J., "Políticas de alcohol: El abuso del alcohol en establecimientos dedicados al consumo". Reporte de la Fase I. Instituto Mexicano de Psiquiatría, 1997. Citado en *el Programa contra el Alcoholismo y Abuso de Bebidas Alcohólicas*, incluido en el *Programa Nacional de Salud 2000-2006*.

[11] "Estudio de niños, niñas y adolescentes trabajadores en 100 ciudades", DIF/IMP, 1998.

[12] Citado en Goleman, *op. cit.*, pp. 316-317.

Capítulo 6

[1] Brailowsky, *op. cit.*, p. 211.

[2] *Cfr.* "About Alcohol. Tips for Teens", boletín publicado por el Center for Substance Abuse Prevention, Sahmsa.

[3] CIJ, *Farmacoterapia, op. cit.*, p. 77.

[4] Montignac, *op. cit.*, p. 351.

[5] Datos proporcionados por el Srid, citado en el Programa Contra el Alcoholismo y Abuso de Bebidas Alcohólicas, México.

[6] Frenk J. Lozano R. *et al.*, "Medición conjunta de días de vida sana perdidos por mortalidad prematura debida a enfermedad, accidentes o violencia y a tiempo de vida llevado con discapacidad o AVISA", Economía y Salud, propuesta para el avance del Sistema de Salud en México, D.F., Fundación Mexicana para la Salud, 1994.

[7] Para calcular estas cifras se suman el total de producción que paga impuestos y las importaciones y se restan las exportaciones.

[8] Rosovsky H. Borges, "Consumo *per cápita* de alcohol en México (1979-1994) y sus correcciones con datos de las encuestas de poblaciones", trabajo presentado durante la reunión: Alcoholismo, Conadic, México, 1996 y Centro de Información en Salud Mental y Adicciones, Instituto Mexicano de Psiquiatría, México.

[9] Los resultados del estudio "A Call to Action: Changing the Culture of Drinking at U.S. Colleges" fueron publicados en la página web del periódico *New York Times*, 10 de abril de 2002.

[10] Marchand, Horacio, "Préndete", en el periódico *Reforma*, 23 de agosto de 2002, México.

[11] Montignac, *op. cit*, p. 212.
[12] Velasco, *op. cit.*, p. 63.
[13] Material proporcionado por Sandra Otálora, socia de la clínica de rehabilitación *Génesis*, México.
[14] Según datos de la Central Mexicana de Alcohólicos Anónimos.

Capítulo 7

[1] "Inician campaña contra las drogas", periódico *Reforma*, 27 de junio de 2002, México, p. 2A.
[2] Material proporcionado por el centro de rehabilitación Génesis, México.
[3] La información sobre las sustancias psicoadictivas se extrajo de:

Cannabis: "Talking With your Child about Marijuana", American Council for Drug Education's (Acde), Facts for parents. "Marijuana", boletín No. 13551 del National Institute on Drug Abuse (Nida). "¿Qué es la marihuana?", boletín publicado por Conadic y la Secretaría de Salud (SSA).

"About Marijuana. Tips for Teens", boletín publicado por el Center for Substance Abuse Prevention, Substance Abuse and Mental Health Services Administration (Samhsa), U.S. Department of Health and Human Services. "La marihuana: Lo que los padres deben saber", folleto del Nida.

Alucinógenos: "About Hallucinogens. Tips for Teens", Samhsa.

Estimulantes: "Metanphetamine. Abuse and Addiction", Research Report Series, Nida. No. 13552, Nida. "Éxtasis", boletín No. 13547, Nida, *¿Qué es el éxtasis?*, publicado por la Secretaría de Salud y la Oficina de Asuntos Antinarcóticos de la Embajada de México. "**Club Drugs**", NIDA Community Drug Alert Bulletin. "Basic Facts About Drugs: GHB and Rohypnol", boletín de la ACDE. "A Guide to Drugs and the Brain: Rohypnol", boletín de National Families in Action (Nfia). "Drugs and the Brain. Ice", boletín de Nfia.

Sedantes, hipnóticos y ansiolíticos: "Fenciclidina (PCP), boletín No. 12956, Nida.

Analgésicos narcóticos: "Heroin. Abuse and Addiction", Research Report Series, Nida. "Heroin", boletín No. 13548, Nida. "Heroin. Changes in How it is Used", boletín de Samhsa. "Basic Facts About Drugs: Oxycontin", ACDE.

Esteroides anabólicos: "Anabolic Steroid Abuse", Research Report Series, Nida. "Esteroides anabólicos", boletín No. 12959, Nida. "¿Qué son los esteroides?", boletín del Conadic/SSA.

4 "Britain to Stop Arresting Most Private Users of Marijuana", en el periódico *The New York Times*, 11 de julio de 2002.

5 Material proporcionado por el centro de rehabilitación Génesis.

6 Montero, Rosa, "La miseria real de una pareja ideal", en la revista *El País Semanal*, N°1 352, 25 de agosto de 2002, p. 91.

7 Gutiérrez, Rafael, y Vega, Leticia, "El uso de inhalables y riesgos asociados para la salud mental de las llamadas niñas 'callejeras'", en Pnufid, *op. cit.*, p. 36.

8 "Coke, Crack, Pot, Speed *et al.*", en la revista *Scientific American*, enero de 2001.

9 Publicado en la revista *Cambio*, año 2, N°54, 23 al 29 de junio de 2002, pp. 12-17.

10 Medina-Mora, "Tendencias del abuso de drogas en México", *Conadic Informa*, p.14.

11 "Una británica de 10 años muere tras tomar supuestamente 'éxtasis'", en el diario español *El País*, 16 de julio de 2002, p. 27.

Capítulo 8

1 Tras encargarse durante años de realizar las investigaciones sobre adicciones en el sistema educativo nacional para el Instituto Nacional de Psiquiatría, en 1991 María Elena Castro decidió poner manos a la obra y crear un plan de prevención de adicciones que abarcara todos los ámbitos de riesgo. Con miras a este proyecto, se asoció con Jorge Llanes, entonces responsable académico del Colegio de Bachilleres, y juntos crearon el Instituto de Educación Preventiva y Atención de Riesgos, A.C. (Inepar). Este instituto constituye una asociación civil que se propone "investigar e intervenir preventivamente ante los factores de riesgo que afectan a la población y, particularmente, a la juventud. Favorece el intercambio y la cooperación; apoya la formación técnica; ofrece programas y servicios de prevención integral dentro de las escuelas, las comunidades abiertas y las empresas, y difunde los conocimientos por todos los medios a su alcance".

2 CIJ, *Resiliencia* (una revisión documental), CIJ, México, 2001.

3 Citados en Barberá, Vicente, *La responsabilidad. Cómo educar en la responsabilidad*, Ed. Santillana, Madrid, 2001, p. 111.

[4] Ridao G., Isabel, "El desarrollo del autoconcepto en la vida familiar", en García Hoz, *op. cit.*, p. 222.

[5] Sánchez-Rivera Peiró, Juan M., *Cómo mejorar nuestra comunicación*, Fondo de Cultura Popular No. 55, Madrid, 1986.

[6] Modificado de "Common Concerns when Discussing Drugs with your Child", Facts for Parents, American Council for Drug Education's (Acde), 1999 y "Hablemos en confianza", Samhsa.

[7] Para más detalles, consultar Castro *et al.*, "Prevalencias en el consumo de drogas en muestras de estudiantes", *Observatorio epidemiológico en drogas*, Conadic/SSA, 2002.

[8] Los interesados en conocer más a fondo los fundamentos en que se basa el Modelo *Chimalli* pueden consultar: Llanes *et al.*, *Yo maestro...* y *Cómo participar en la prevención* y *protección de la comunidad ante adicciones y violencia*, Inepar/Ed. Pax, México, 2000 y 2001, respectivamente.

[9] Feldman define la tutoría como "una relación entre una persona con mayor experiencia y otra más joven; en donde dicha relación involucra una preocupación mutua, compromiso y confianza", en: Feldman, Fanny, "La tutoría como propuesta para el desarrollo positivo de los jóvenes", revista *Liberaddictus*, No. 60, junio de 2002, p. 26.

[10] *Ibídem*, p. 26.

[11] "Es más fácil enseñar los males de las drogas de una forma lúdica", en el diario *El País*, 10 de diciembre de 2001.

[12] "Yo la dejé bien", en la columna *Gaceta del Ángel*, publicada por Germán Dehesa en la sección "Ciudad" del periódico *Reforma*, 15 de agosto de 2002.

[13] Sifuentes, Arturo, "De banda a banda. Crónica de un itinerario preventivo", en la revista *Liberaddictus*, No. 60, junio de 2002.

[14] Nateras, Alfredo, "De instituciones, drogas y jóvenes", en Medina, Gabriel (comp.), *Aproximaciones a la diversidad juvenil*, El Colegio de México, Centro de Estudios Sociológicos, México, 2000, p. 137.

Capítulo 9

[1] Guisa, Víctor Manuel, "Modelos de tratamiento en adicciones", en *Conadic informa, op. cit.*, p. 23.

[2] Nateras, Alfredo, *op. cit.*, p. 121.

[3] Encuesta Nacional Sobre Uso de Drogas en la Comunidad Escolar, 1991.

[4] Twerski, *op. cit.*, pp. 127, 128.

[5] *Cfr.* García-Rodríguez, José Antonio, *Mi hijo, las drogas y yo*, Edaf, México, 2000, pp. 147-149.

[6] *Ibídem.*, p. 150.

Capítulo 10

[1] Si el lector precisa de mayor información sobre los distintos tipos de tratamientos en adicciones, puede consultar: Center for Substance Abuse Treatment, *Treatment of Adolescents With Substance Use Disorders*, Treatment Improvement Series No. 32, Center for Substance Abuse Treatment, Substance Abuse and Mental Health Services Administration, U.S. Department of Health and Human Services, 1999.

[2] Guisa Cruz, Víctor M., "Modelos de tratamiento en adicciones", en *Conadic informa*, boletín del Conadic/Secretaría de Salud, junio de 2001, p. 23.

[3] *Ibídem*, p. 25.

[4] *Cfr.* CIJ, *Farmacoterapia*, pp. 285-286.

Capítulo 11

[1] CIJ, *Resiliencia, op. cit.*, p. 14.

[2] *Cfr.* Medina-Mora *et al.*, "¿Cómo influye el conocimiento del riesgo en el uso de drogas?", aparecido en el boletín *Conadic Informa*, Conadic/SSA, junio de 2002, p. 13.

[3] Sánchez Sánchez, Antonio, "Preparación de los padres para su función educadora", en García Hoz *et al.*, *op. cit.*, p. 330.

[4] Twerski, *op. cit.*, p. 91.

[5] *Cfr.* "Hablemos en confianza". Iniciativa Hispano/latino, tríptico informativo publicado por Samhsa y Csap.

[6] Amara, Giuseppe, *Perseguidos por el paraíso*, Ed. Lectorum, México, 2002, p. 243.

[7] *Cfr.* De Mauleón, Héctor, "La ciudad del polvo", en la revista *Cambio*, año 2, No. 54, 23-29 de junio de 2002, pp. 11-16.

[8] CIJ, *op. cit.*, p. 24.

[9] Kushner, Harold, *Cuando nada te basta*, Emecé Editores, Barcelona, 1996, p. 127.

[10] Ochoa, Elena, *Locuras y amores. Límites ilimitados*, Plaza & Janés, Barcelona, 1994, pp. 93, 94.

[11] *Cfr.* Modelo *Chimalli.* Entre los libros que el lector puede consultar si

desea aplicar este modelo en la casa o la escuela se encuentran: Castro *et al.*, *Cómo educar hijos sin adicciones* y *Cómo proteger a los preadolescentes de una vida con riesgos* (*Habilidades de prevención para padres y maestros*), INEPAR/Ed. Pax, México, 2002.

[12] Goleman, *op. cit.*, p. 296.

[13] Villatoro *et. al.*, *op. cit.* p. 28.

Glosario

[1] Nateras, *op. cit.*, p. 134.

Bibliografía

Amara, Giuseppe, *Perseguidos por el paraíso. Claves para encontrar una salida a las adicciones*, Ed. Lectorum, México, 2002.

American Academy of Child & Adolescent Psychiatry (AACAP), hojas de información para la familia, sobre: "Los adolescentes, el alcohol y otras drogas", No. 3, noviembre de 1998; "El niño deprimido", No. 4, agosto de 1998; "Los niños y la violencia en la televisión", No. 13, abril de 1999; "Los niños y el internet", No. 59, abril de 1998; "Cómo se puede ayudar a los adolescentes con estrés", No. 66, enero de 2002; "El tabaco y los niños", No. 68, abril de 1999.

American Council for Drug Education's (ACDE), *Basic Facts about Drugs: GHB and Rohypnol, Ecstasy, OxyContin*, 2001; "Common Concerns when Discussing Drugs with Your Child", Facts for Parents, 1999; "Signs and Symptoms of Drug Use", 1999; "Talking with your Child about Marijuana", 1999.

Barberá Albalat, Vicente, *La responsabilidad. Cómo educar en la responsabilidad*, Ed. Aula XXI/Santillana, Madrid, 2001.

Bennett, William J., *El libro de las virtudes*, Ed. Vergara, Argentina, 1995.

Bilbao, Fernando, "Psicoterapia psicoanalítica en jóvenes no adictos que usan drogas", revista *Liberaddictus*, No. 60, junio de 2002.

Brailowsky, Simón, *Las sustancias de los sueños: Neuropsicofarmacología*, México, Fondo de Cultura Económica, 1995.

Castro, Ma. Elena *et al.*, *Cómo educar hijos sin adicciones*, Modelo Preventivo de Riesgos Psicosociales *Chimalli*, Instituto de Educación Preventiva y Atención de Riesgos (INEPAR)/Ed. Pax, México, 2002.

Center for Substance Abuse Treatment, *Screening and Assessing Adolescents for Substance Use Disorders*, Treatment Improvement Protocol (TIP) Series No. 31, Substance Abuse and Mental Health Services Administration, U.S. Department of Health and Human Services, 1999.

, *A Guide for Parents, Grandparents, Elders, Mentors and Other Caregivers Keeping Youth Drug Free*, CSAP y SAMHSA.

, "Hablemos en confianza". Iniciativa Hispano/latino, tríptico informativo, CSAP y SAHMSA.

, *Organizando la comunidad hispano/latina para la prevención de alcohol, tabaco y drogas ilícitas.* Manual para la comunidad hispano/latina. Realizado por SAHMSA y Center for Substance Abuse Prevention (CSAP), del Substance Abuse and Mental Health Service Administration de Estados Unidos.

, *Treatment of Adolescents With Substance Use Disorders*, Treatment Improvement Series, No. 32, 1999.

Centros de Integración Juvenil, *Características sociodemográficas y de consumo de drogas en pacientes atendidos en Centros de Integración Juvenil entre 1990 y 1997*, CIJ, México, 1999.

, *Para evitar el consumo de drogas entre niños y adolescentes*, Cuaderno Temático, Vol. 17, CIJ, México, 1997.

, *Estudio epidemiológico del consumo de drogas en pacientes de nuevo ingreso a tratamiento en Centros de Integración Juvenil en 1999.* Reporte estadístico de usuarios de drogas solicitantes de tratamiento, México, CIJ, 2000.

, *Evaluación de necesidades de resultados del proyecto Orientación Preventiva a Adultos Jóvenes*, CIJ, México, 2001.

, *Evaluación de resultados del proyecto Orientación Familiar Preventiva, OFP (1998-1999)*, CIJ, México, 2001.

, *Tendencias del consumo de drogas en pacientes de primer ingreso a tratamiento en Centros de Integración Juvenil entre 1990 y 1999*, CIJ, México, 2001.

Co-Dependents Anonymous, Incorporated (CoDA), "Patterns and Characteristics of Codependence", Foundation Documents, 1998.

, "The Twelve Promises of CoDA", 1998.

, "The Twelve Traditions of CoDA", 1998.

Consejo Nacional contra las Adicciones (Conadic), *El consumo de drogas en México: Diagnóstico, tendencias y acciones*, Secretaría de Salud, México, 1999.

Cortina, Adela, *El quehacer ético. Guía para la educación moral*, Ed. Santillana, Madrid, 1999.

García Hoz, Víctor (comp.), *La educación personalizada en la familia*, Ed. Rialp, Madrid, 1990.

Guisa Cruz *et al.*, *Farmacoterapia de los síndromes de intoxicación y absti-*

nencia por psicotrópicos, CIJ, Dirección General de Educación Tecnológica Industrial (DGETI), 2a. edición, México, 1998.

Guisa, Víctor Manuel, "Modelos de tratamiento en adicciones", *Conadic informa,* boletín de la Secretaría de Salud/Conadic, junio de 2001.

Kushner, Harold, *Cuando nada te basta,* Emecé Editores, Barcelona, 1996.

Lipovetsky, Gilles, *La era del vacío. Ensayos sobre el individualismo contemporáneo,* Ed. Anagrama, Barcelona, 1986.

Llanes Jorge *et al., Yo, maestro... Cómo participar en la prevención,* Modelo Preventivo de Riesgos Psicosociales *Chimalli,* INEPAR/Ed. Pax, México, 2000.

, *Protección de la comunidad ante adicciones y violencia,* Modelo Preventivo de Riesgos Psicosociales *Chimalli,* INEPAR/Ed. Pax, México, 2001.

, *Cómo proteger a los preadolescentes de una vida con riesgos,* Modelo Preventivo de Riesgos Psicosociales *Chimalli,* INEPAR/Ed. Pax, México, 2002.

Manual diagnóstico y estadístico de los trastornos mentales DSM IV, Ed. Masson, Barcelona, 1995.

Margain, Mónica *et al., Aprendiendo a pasarla bien. Modelo Preventivo de Riesgos Psicosociales,* Libro del conductor *Chimalli,* 1a. edición, México, 2001.

Marlowe, Ann, *Cómo detener el tiempo. La heroína de la A a la Z,* Ed. Anagrama, Barcelona, 2002.

Medina-Mora, Ma. Elena, "Tendencias del abuso de drogas en México", *Conadic informa,* boletín del Conadic/Secretaría de Salud, junio de 2001.

, *et al.,* "¿Cómo influye el conocimiento del riesgo en el uso de drogas?", *Conadic informa,* boletín del Conadic/Secretaría de Salud, junio de 2002.

Montignac, Michel, *El método Montignac. Especial mujer,* Plaza & Janés Editores, Barcelona, 1998.

Narcotics Anonymous World Services, Inc., "Welcome to Narcotics Anonymous", NA Fellowship-Approved Literature, 1986.

, "For the Newcomer", 1983.

National Institute on Drug Abuse (NIDA), "Stress & Substance Abuse". Community Drug Alert Bulletin, National Institutes of Health (NIH), U.S. Department of Health and Human Services, marzo de 2002.

Ochoa, Elena, *Locuras y amores. Límites ilimitados*, Plaza & Janés, Barcelona, 1994.

Padres preparados: 21 ideas y consejos que le ayudarán a alejar a sus hijos de las drogas, folleto publicado por la Oficina de la Política Nacional Sobre el Control de Drogas. U.S. Department of Education's Safe and Drug-Free Schools Program.

PNUFID (Programa de las Naciones Unidas para la Fiscalización Internacional de Drogas), *Con ganas de vivir... Una vida sin violencia es un derecho nuestro*, PNUFID, Oficina Regional para México y Centroamérica, México, 1998.

, *Enfrentando el desafío*, Santafé de Bogotá, 1998.

Procuraduría General de la República, "La familia, el mejor frente contra las drogas", folleto elaborado por la Dirección de Prevención a la Farmacodependencia, Dirección General de Prevención del Delito y Servicios a la Comunidad.

Programa contra el alcoholismo y abuso de bebidas alcohólicas, Secretaría de Salud/Conadic, Programa Nacional de Salud 2000-2006, México.

Programa contra la Farmacodependencia, Secretaría de Salud/Conadic, Programa Nacional de Salud 2000-2006, México.

Rojas, Enrique, *La ilusión de vivir*, Ediciones Temas de Hoy, 5a. edición, Madrid, 1998.

Savater, Fernando, *Ética para Amador*, Ed. Ariel, México, 1992.

Sifuentes, Arturo, "De banda a banda. Crónica de un itinerario preventivo", revista *Liberaddictus*, No. 60, junio de 2002.

Sistema para el Desarrollo Integral de la Familia, *Desarrollo integral del adolescente*, DIF, México.

Tierno, Bernabé, *Educar hoy. De los seis a los veinte años*, Ed. San Pablo, Madrid, 1994.

Vásquez, Guillermo H., *Lo que los jóvenes deben saber acerca de las drogas*, Casa Bautista de Publicaciones, México, 1978.

Velasco Fernández, Rafael, *Las adicciones, Manual para maestros y padres*, Ed. Trillas, México, 1997.

Villatoro *et al.*, "Estudios en estudiantes de enseñanza media y media superior. Ciudad de México", Observatorio Epidemiológico en Drogas, Secretaría de Salud, 2001.